Nous remercions la SODEC
et le Conseil des Arts du Canada
de l'aide accordée à notre programme de publication
ainsi que le gouvernement du Québec
– Programme de crédit d'impôt
pour l'édition de livres
– Gestion SODEC.

SODEC Québec

Conseil des arts du Canada Canada Council for the Arts

Canada

Nous reconnaissons l'aide financière
du gouvernement du Canada
par l'entremise du Fonds du livre du Canada
pour nos activités d'édition.

Illustration de la couverture et illustrations
intérieures : Sampar

Montage des pages intérieures : Guylaine Normand
pour Claude Bergeron

Membre de l'Association nationale des éditeurs de livres

ASSOCIATION NATIONALE DES ÉDITEURS DE LIVRES

Financé par le gouvernement du Canada
Funded by the government of Canada
Canada

Dépôt légal pour cette réédition : 4e trimestre 2017
Bibliothèque et Archives du Canada
Bibliothèque nationale du Québec

34567890 IM 987

ISBN 978-2-89633-401-8

11723

ALAIN M. BERGERON

Série Coco – Tomes 1 à 4

ÉDITIONS
PIERRE TISSEYRE
www.tisseyre.ca

155, rue Maurice
Rosemère (Québec) J7A 2S8
Téléphone: 514 335-0777 – Télécopieur: 514 335-6723
info@edtisseyre.ca

DU MÊME AUTEUR
AUX ÉDITIONS PIERRE TISSEYRE

Collection Sésame

Où sont mes parents ?, n° 17.

Espèce de Coco, n° 42.

Super Coco, n° 52.

Coco et le docteur Flaminco, n° 61.

Lettres de décembre 1944, n° 63.

Quel cirque, mon Coco !, n° 72.

Le Coco d'Amérique, n° 84.

Coco Pan, n° 100.

Coco et le vampire du camp Carmel, n° 102.

Collection Papillon

Cendrillé, n° 53.

Charlie et les géants, n° 94.

CHEZ MICHEL QUINTIN

Série Billy Stuart

Série Savais-tu ?

Catalogage avant publication de Bibliothèque et Archives nationales du Québec et Bibliothèque et Archives Canada

Bergeron, Alain M., 1957-

Coco, mon petit frère volant
(Sésame ; 159)
Pour enfants de 6 ans et plus.

ISBN 978-2-89633-401-8 (couverture souple)

I. Sampar. II. Titre. II. Collection : Collection Sésame ; 159.

PS8553.E674C62 2017 jC843'.54 C2017-941760-6
PS9553.E674C62 2017

UN MOT DE L'AUTEUR

Bonjour, mes Cocos et mes Cocottes !

Quel plaisir de vous retrouver ! Cet automne, j'ai atteint le cap des 250 livres publiés, dont plus d'une douzaine de séries. Parmi celles-ci, j'ai une tendresse particulière pour la série des Coco. Vous comprendrez alors mon bonheur de voir les Éditions Pierre Tisseyre faire paraître ce premier recueil de quatre contes de mon petit Coco.

Cette tendresse prend des airs paternels puisque la série raconte la naissance d'un drôle de petit bonhomme, venu au monde dans un œuf, au grand désespoir de sa sœur aînée, Chloé. C'est par sa voix, d'ailleurs, que toutes les histoires sont narrées. Je tiens à le préciser tout de suite : le désespoir initial de Chloé fera place à un amour inconditionnel au fil des pages.

Quand je pense à Coco et à Chloé, je fais une association avec mes propres enfants, Alex et Élizabeth, et à cet amour fraternel avec mes sœurs et mon frère. J'inclus, dans ce sentiment de tendresse, les forts liens d'amitié entre Chloé et Rose-Marie, ainsi qu'entre Coco et Petite Fleur.

Le prénom de la grande sœur de Coco n'est pas un effet du hasard. Chloé existe vraiment ! C'est grâce à elle si j'ai pu écrire ma série Coco. Je l'avais rencontrée pour la première fois tandis qu'elle était en deuxième année dans la classe de mon fils, Alex (vous remarquerez que c'est le prénom du gardien du parc où jouent Coco et Chloé). Une heureuse coïncidence a fait qu'elle a gagné l'un de mes livres lors d'un tirage dans sa classe.

Le soir même, je l'ai revue à la bibliothèque de ma ville (Victoriaville). Les mains sur les hanches, de sa voix claire, elle m'a dit en toute candeur : « Si tu mettais plus de fantaisie dans tes histoires, peut-être que les éditeurs seraient intéressés ! »

J'ai donc suivi son sage conseil et j'ai écrit la première histoire de Coco. Trois ans plus tard, en 2001, je débarquais dans sa classe (de cinquième année). Devant les autres élèves et sa professeure (qui m'avait enseigné au primaire!), je lui ai rappelé notre conversation à la bibliothèque. Elle n'avait pas oublié. Elle m'a même répondu : « J'espère que tu m'as écoutée... »

Oh que oui, Chloé! J'avais en main le premier exemplaire intitulé simplement *Coco*! C'était la logique que de le lui remettre. Elle était très contente.

Aujourd'hui, alors que j'écris ce texte de présentation pour le recueil, Chloé approche de la trentaine. Chaque fois que je regarde l'un des livres de la série Coco, je pense à elle. Et au fait d'avoir suivi le judicieux conseil d'un petit bout de femme de sept ans, il y a deux décennies.

Alors, bonne lecture, mes Cocos et mes Cocottes!

Alain M. Bergeron!!

auteur jeunesse

À Angèle et à Mélanie,
qui ont permis à mon petit Coco
de sortir de sa coquille.

À Chloé, sans qui cette histoire ne serait
jamais sortie de sa coquille…

Alain M. Bergeron

COCO

SÉSAME

ÉDITIONS
PIERRE TISSEYRE
www.tisseyre.ca

Tome 1

roman

1

UNE COCOCASSERIE

J'ai hâte! Je guette depuis une demi-heure par la fenêtre.

Maman rentre de l'hôpital aujourd'hui. Papa est allé la chercher en voiture. Il y aura un passager de plus, dans le siège de bébé.

Ce sera un petit frère, prénommé Marco, ou une petite sœur, Corinne. Je ne le sais pas encore. Maman n'a pas voulu me le dire au téléphone quand je lui ai parlé hier. Papa, lui, n'est guère plus bavard. Impossible de lui tirer les vers du nez.

Tant pis! Que ce soit Corinne ou Marco, je suis prête à changer ses couches même si j'ai le nez fin, à lui donner le bain ou le biberon, à lui raconter des histoires, à bercer le bébé pour l'endormir.

Enfin, tout ce qu'une grande sœur de sept ans peut faire.

Nous allons partager la même chambre. « La maison est petite, mais mon cœur est grand », dit maman. Le berceau de bébé sera tout près de mon lit, juste assez pour que je l'entende sourire aux anges.

Les voilà! Je bondis de joie.

Maman sort de l'automobile et me fait signe de la main. Elle porte le bébé bien caché dans sa douillette. On ne voit pas son visage.

Papa a les bras chargés de valises et de cadeaux.

— Bonjour, Chloé, me dit maman, avec un sourire gêné, en franchissant le seuil de la porte d'entrée.

— Je veux voir le bébé! Je veux voir le bébé! C'est un garçon? Non, une fille... Ne me le dites pas. C'est une surprise, et...

Pour une surprise, c'est toute une surprise!

Jamais je n'aurais pu deviner CE qui se cachait dans cette douillette.

Ce n'est pas un garçon!

Encore moins une fille!

— C'est... C'est...

— Eh oui!... Un œuf, lâche papa, dans un long soupir, comme s'il se dégonflait.

Un œuf?

Pas comme le chiffre neuf.

Pas comme un sou neuf.

Un œuf! Avec une coquille semée de petites taches de naissance brunes, comme celle que j'ai au bras gauche.

Et gros, en plus. Gros comme un ballon de soccer. Sûrement de catégorie AAAA.

Je demande nerveusement:

— C'est le souper?

Ni papa ni maman ne répondent.

— Mais où est le bébé?

Cette fois, c'est maman qui ose avancer une explication:

— Tu vois, Chloé, mère Nature, de temps en temps, nous joue des tours. On ne sait pas trop pourquoi ni comment, mais parfois, ça ne se passe pas comme on le voudrait...

— Ah ! la cigogne s'est trompée d'adresse... On ne peut pas le retourner d'où il vient ?

— Mais non, Chloé. Cet œuf est sorti de MON ventre, dit maman, qui en a perdu son tour de taille.

Je murmure sans trop y croire et sans rien y comprendre :

— Quoi ? C'est mon petit frère, ça ?

— Ou ta petite sœur, on l'ignore, reprend maman.

— C'est ce qui arrive quand on mange trop d'œufs pendant la grossesse, glisse papa à l'oreille de maman, avec un petit sourire, pas trop fort, mais juste assez pour que je l'entende.

Maman n'apprécie pas. Oh que non !

— Non, mais écoutez celui qui parle ! Qui s'est empiffré de poulet depuis que sa mère l'a mis au monde ?

Papa hausse les épaules. C'est vrai qu'il mange tout le temps du poulet, à toutes les sauces ; son menu n'est pas très varié.

Et maman, le bec pincé, pointe du doigt son crâne chauve comme une boule de quilles, ou plutôt comme un gros œuf tout lisse.

Je n'aime pas quand ils se picorent l'un l'autre, ou qu'ils se parlent comme ça dans le blanc des œufs... pardon, des yeux.

Moi non plus, je ne suis pas contente et je ne peux pas le cacher.

— À l'école, j'ai raconté à tous mes amis que j'allais avoir un petit frère ou une petite sœur. Qu'est-ce que je vais leur dire, maintenant ? Que mes parents ont eu un œuf ? Et qu'on ne sait pas ce qu'il y a dedans ? Personne ne va me croire ! De quoi vais-je avoir l'air ? On va se moquer de moi.

— Veux-tu le prendre dans tes bras, Chloé ? demande maman, tentant l'opération charme et séduction.

— Nooooon ! Je... je pourrais le laisser tomber.

Les poules auront des dents avant que j'y touche. Pour être sûre qu'elle ne me le flanque pas de force dans les bras, je garde mes distances... et mes bras croisés. C'est plus prudent !

— Combien de temps « ça » va durer ? Je sais ! Il suffit de trouver où est inscrite la date « meilleur avant » ?

— Franchement, Chloé ! disent mes parents dans chacune de mes oreilles.

— Et comment on va l'appeler ? demande papa.

— Ah, parce qu'on lui donne un nom en plus ! Franchement !

C'est à mon tour de le dire.

— Oui, Chloé. Dorénavant, on considère qu'il ou elle fait partie de la famille. Nous sommes quatre, dit maman.

— Quatre-quatre-quatre, oui !

— On l'appellera COrinne, tiens, dit papa.

— Mais c'est peut-être un MarCO, reprend maman.

— Que ce soit COrinne ou MarCO, c'est un drôle de COCO que vous m'avez ramené là, dis-je à mes parents.

2

UN REPAS COCOPIEUX

Le lendemain matin de l'arrivée de Coco à la maison, la vie reprend son cours normal.

Enfin, c'est une façon de parler. Quiconque nous verrait à la table en train de déjeuner conclurait sûrement que nous sommes une famille de fêlés.

Oui, Coco est avec nous. C'est Coco par-ci, Coco par-là, mes parents en font tout un plat, de ce Coco. Maman lui a installé une bavette après l'avoir placé dans un petit siège de bébé, avec le bout pointu vers le haut. Elle a même bouclé sa ceinture pour s'assurer qu'il ne tombe pas, qu'il ne brise pas sa coquille et qu'il ne se répande pas sur le plancher de la cuisine.

Pourtant, il ne risque pas de s'envoler de sitôt, puisqu'il est immobile depuis sa naissance. Je lui cogne dessus, ce qui enrage maman.

— Youhou! Il y a quelqu'un là-dedans?

Papa jette un coup d'œil par-dessus son journal, le « Canard » du matin comme il l'appelle. Puis il se replonge dans sa lecture, les yeux brouillés, avant d'avaler son sixième café.

Maman me prépare deux tartines avec de la confiture aux fraises et un jus d'orange.

— Non! Je veux du jambon!

— Du jambon?

— Oui! Du jambon avec...

Elle sait ce que je vais dire. Je lis dans ses yeux et elle l'a lu dans les miens. Nous sommes deux grandes lectrices.

— Non, ne le dis pas! menace-t-elle.

— Chloé, n'embête pas ta mère, ordonne papa qui décide de se mêler à notre conversation, tout en poursuivant la lecture de son journal.

— Mais, papa, du jambon, c'est bon avec quoi ?

— Avec des œufs, bien sûr, répond papa sans réfléchir.

— Ce n'est pas moi qui l'ai dit, maman.

Maman arrache le journal des mains de papa et le regarde comme s'il venait de dire une grosse bêtise.

— Quoi ? demande-t-il.

Les mains sur les hanches, maman désigne Coco de rapides coups de tête.

— Quoi ? Quoi ? Quoi ? répète-t-il comme Donald le canard.

Maman s'approche et lui murmure la réponse à l'oreille.

D'ordinaire, quand elle lui parle ainsi, les yeux de papa s'illuminent, amoureux, et mes parents se mettent à rire doucement. Comme si je n'y comprenais rien!

Mais là, le regard de papa s'est, pour ainsi dire, éteint.

Il s'ensuit un discours composé de signes et de grognements que, même moi, je peux traduire. Papa pense sûrement que maman exagère. Et maman l'implore de faire un peu plus attention à ce qu'il raconte.

Ils en arrivent à un accord: tout ça, c'est ma faute. C'est sûr que de vouloir manger des œufs devant Coco, ce n'est pas très délicat de ma part. Surtout que je n'aime pas le jambon...

— Bon. Je ne prendrai pas de jambon avec cette chose que vous ne voulez pas que je dise. Par contre, j'aimerais bien une tarte... Une tarte au COCOnut!

Ils n'ont aucun sens de l'humour. Alors, ils m'envoient dans ma chambre réfléchir un peu. Je fais du boudin. Au bout de quelques minutes, j'ai la permission de revenir à table... et à la charge!

— Vous pensez que ce Coco-là nous comprend ?

— J'en suis certaine, Chloé, dit maman, avec de la douceur dans sa voix.

Elle se rapproche de moi et me serre dans ses bras. Ça me fait du bien.

— Quand tu étais dans mon ventre, je te parlais souvent.

— Moi aussi, Chloé. Je frottais le ventre de maman avec de l'huile d'amandes et je te parlais en même temps.

— Et aujourd'hui, la seule chose qu'il frotte, c'est sa voiture. Et il lui parle, aussi, précise maman.

Je ne sais pas trop si elle blague. Papa, lui, ne la trouve pas drôle.

— Mais là, ce n'est pas pareil, maman !

— Et pourquoi, Chloé ?

C'est évident ! Parce que Coco est un œuf, et que moi, je suis une fille.

Je n'ai pas à lui expliquer ; elle a déjà tout compris.

3

FAISONS COCONNAISSANCE

Aujourd'hui, c'est la sortie familiale. Comme le soleil tape fort, même si c'est le printemps, et que ses rayons sont chauds, maman me donne de la crème solaire pour mon visage, mon cou et mes bras. Papa, lui, protège son crâne d'œuf avec un chapeau de paille.

Tiens, en parlant de tête d'œuf, je tapote gentiment vous savez qui.

— À tout à l'heure, mon Coco.

— Coco vient avec nous, Chloé, réplique maman.

— Quoi? Mais les voisins? Qu'est-ce qu'ils vont dire?

— On n'a pas à s'occuper de ce que disent ou pensent les autres, reprend papa, qui a monté la poussette du sous-sol.

— Je ne veux pas de ce poussin-là dans ma poussette!

— Chloé..., gronde maman.

— Mais maman... Coco va cuire avec toute cette chaleur.

Là, je marque un point.

— Tu as raison, Chloé.

Elle va dans le réfrigérateur et en sort le beurre. Avec un petit pinceau, elle en badigeonne une bonne couche sur Coco.

— Tout baigne dans l'huile! On y va? demande papa, après avoir déposé Coco dans MA poussette.

Ça promet d'être rigolo comme promenade.

J'ai enfoncé la casquette du club de hockey de mon père jusqu'aux sourcils. Avec mes lunettes de soleil, j'augmente

mes chances de passer inaperçue dans le quartier.

Mes parents se promènent fièrement, le menton relevé. Voilà notre voisin, monsieur Létourneau, le père de ma gardienne, Sophie, qui vient à notre rencontre. Je fais semblant de ne pas le voir et j'entre en collision avec son gros ventre.

J'ai presque rebondi.

— Belle journée, n'est-ce pas ? Et comment se porte ma petite Chloé ?

— À sept ans, je ne suis plus petite !

— C'est vrai, convient monsieur Létourneau devant mon air sérieux. Surtout avec l'arrivée de ton petit frère.

Je ne sais plus où me mettre. Monsieur Létourneau relève la couverture de la poussette et fait des « Coucou, Coucou, c'est qui... ».

Il s'arrête à « qui »...

Son large sourire s'efface d'un trait, comme si un dessinateur venait de lui gommer toutes ses dents.

— Ce n'est pas un petit frère, dit notre voisin en remettant la couverture par-dessus Coco.

Il rit nerveusement, retire ses lunettes, en essuie la buée avec son mouchoir et se frotte les yeux.

Tirant la couverture de nouveau, il dévisage Coco... Je lui fais remarquer :

— Et ce n'est pas une petite sœur non plus.

— Mais c'est un...

— Chut ! Il ne faut pas le dire, monsieur Létourneau, surtout pas avec du jambon.

Mon conseil me vaut un regard noir de maman.

— La dernière fois que j'en ai vu un presque aussi gros, c'était celui d'une autruche, chuchote-t-il à mes parents.

Je me mettrais bien la tête dans le sable, si je le pouvais !

— On en avait fait une omelette pour tout le quartier, ajoute monsieur Létourneau, qui s'en lèche encore les babines. Et lui, il est frais du jour ?

— Excusez-moi, môssieur, nous devons poursuivre notre promenade, dit maman, offusquée.

— Bien sûr...

Confus, notre voisin nous laisse passer, le visage aussi blanc que la coquille de l'autre.

4

ATTRAPE-LE, COCOYOTE

Ce soir, mes parents vont au cinéma pour se changer les idées. À l'affiche, c'est *Vol au-dessus d'un nid de coucou*.

Sophie Létourneau, ma gardienne, ne pose pas une seule question quand maman dépose Coco dans ses bras. Son père l'a sûrement mise au courant.

— Il faudrait lui mettre un collant « Manipuler avec soin », dis-je.

Mes parents demandent à Sophie de bien s'occuper de Coco et surtout de me surveiller pour que je ne fasse pas de bêtises.

— Ce sera double tarif : ils sont deux, réplique simplement Sophie.

Mes parents ne négocient même pas.

Dès que la porte d'entrée est refermée, Sophie Létourneau consacre toute son attention à Coco.

Elle lui chante des chansons de bébé, en le berçant :

C'est la poulette grise,
qui a pondu dans l'église…

Un peu jalouse, je la préviens :

— Attention, il va faire un rot sur ton épaule.

Elle veut aussi lui donner son bain. Pas dans le bassin pour les oiseaux, qui se trouve dans la cour arrière. Un vrai bain, dans notre salle de bain !

Je fais couler l'eau chaude à pleine vapeur dans la baignoire.

— Aïe ! dit Sophie en y plongeant son coude, comme elle l'a appris dans son cours de gardienne avertie.

— C'est trop chaud ?

Elle n'est pas heureuse du tout de mon initiative.

— Tu veux en faire un œuf à la coque, ma parole !

— Mais non, je ne connais même pas la recette...

Elle ajoute de l'eau froide pour rendre le bain confortable.

Elle lave Coco avec une éponge.

— Tiens, il flotte, remarque-t-elle.

— Maman dit que lorsqu'un œuf flotte, c'est parce qu'il n'est pas bon. Il faudrait peut-être vérifier. Si on perce un trou aux deux bouts et qu'on souffle fort, on peut le vider et...

Sophie ne m'écoute même pas. Elle essuie Coco avec une épaisse serviette de toilette. J'ajoute :

— Ça irait plus vite dans la sécheuse.

Elle ignore ma suggestion et saupoudre un nuage de talc pour bébé sur le Coco en question.

Sophie et moi, on a au moins un point en commun : on aime beaucoup les dessins animés à la télé. Elle installe Coco entre nous deux, sur le divan. On regarde des épisodes du *roadrunner* – bip-bip ! – et du coyote. Je ne sais pas pourquoi le

roadrunner – bip-bip ! – parvient toujours à se sauver des pièges de son ennemi. Je prends pour le coyote, mais je rigole beaucoup quand même.

Sophie regarde sa montre et elle annonce que c'est l'heure de coucher son petit monde.

— Pas tout de suite ! Je vais aller au lit quand le coyote aura attrapé le *roadrunner* – bip-bip !

Mais Sophie en a vu d'autres et elle sait bien que cela n'arrivera jamais. Comme d'habitude, elle me fait la lecture. Ce soir, je lui demande de me lire *Le vilain petit canard.*

— Vilaine petite fille, dit-elle pour me taquiner.

— Tant pis, ce sera *La poule aux œufs d'or...*

Une fois la lecture terminée, elle me fait un bisou sur le front et éteint ma lampe de chevet.

Ensuite, Sophie dépose Coco dans son berceau douillet, à côté de mon lit, avec sa sucette et son hochet. Elle allume une lumière, suspendue à la tête de son berceau, pour réchauffer Coco. C'est un incubateur.

D'une voix très douce, elle lui chante une chansonnette :

C'est la poulette grise,
qui a pondu dans l'église.
Elle va pondre un petit coco,
pour Chloé qui va faire dodo,
dodiche, dodo.

Et Sophie me demande de chanter avec elle. Je ne veux pas.

— Bonne nuit ! dis-je, rabattant ma douillette par-dessus ma tête.

Je l'entends s'éloigner. Elle retourne au salon pour s'assurer que le coyote est toujours en vie, même s'il tombe d'une falaise de cent étages.

J'ai du mal à m'endormir. J'ai beau compter les moutons, ils se transforment en poulettes grises dès qu'ils sautent la clôture.

J'enlève la couverture de mon visage. De mon lit, je vois le berceau-incubateur de Coco. Chanter une berceuse à un œuf... Non mais, ça ne va pas!

Si j'avais un frère ou une sœur, ce serait différent. Je lui chanterais des berceuses jusqu'au matin avant que le coq ne pousse son premier cocorico. Machinalement, dans un murmure, je me mets à chanter:

C'est la poulette grise,
qui...

Et c'est là que se produit la chose la plus extraordinaire qui soit. Pour m'assurer que mon imagination ne me joue pas des tours, je me lève du lit et, tout en m'approchant du berceau, je recommence à chanter:

C'est la poulette grise...

Encore une fois.

Pour Chloé qui va faire dodo…

Non, ce n’est pas une illusion !

Coco se berce au son de ma voix.

J’en ai la chair de poule !

SAMPAR

5

COCOLLECTION DE PÂQUES

— Voilà ! Terminé, maman.

J'ai décoré Coco avec du violet et du jaune, en dessinant dessus. Il a l'air d'un Coco de Pâques, ce qui est dans le ton de la saison.

Chaque année, maman organise une course aux œufs en chocolat autour de la maison. Cette année, elle change le menu. Pour ne pas vexer Coco, ce sera des animaux en chocolat.

Elle en a caché un peu partout. J'ai mon panier en osier, que je compte bien remplir pour me gaver. Quand il est question de chocolat, je suis une incorrigible gourmande, comme maman.

J'amorce ma quête.

J'ai déjà un lapin. Puis une poule. Et une souris. Ces friandises chocolatées n'échappent pas à mon regard d'aigle.

Maman rentre à l'intérieur pour répondre au téléphone. Papa, lui, s'est rendu au champ de pratique pour frapper des balles de golf.

Je compte treize animaux dans mon petit panier. C'est toute une collection. Ça devrait me porter chance. Je suis tellement excitée que j'en oublie Coco.

Mais où est-il?

— Coco? Coco?

Comme s'il pouvait me répondre...

Je cours partout, telle une poule sans tête, mais pas de Coco à l'horizon. Maman, qui parle au téléphone tout en mangeant le chocolat que papa lui a donné ce matin, ne l'a pas dans ses bras. Ça m'inquiète.

Il faudrait appeler la police, le 9-1-1, donner son signalement, tracer son portrait-robot. Ça, je peux le faire, c'est facile et...

Une affreuse pensée traverse mon esprit.

Et si...

Non, il n'aurait pas osé!

Le voisin. Monsieur Létourneau. Celui qui a dit que Coco ferait une belle omelette pour tout le quartier, comme avec l'œuf d'autruche.

Je dois m'assurer qu'il ne mijote pas ce plan-là. Je me précipite chez lui. Il n'y a pas de coulée de jaune sur son asphalte. Ça ne me rassure qu'à moitié. Je cogne à sa porte. Il me crie d'entrer.

— Je suis dans la cuisine, me dit-il pour signaler sa présence.

Je m'y rends, guidée par une odeur bien connue...

Horreur!!!

Il est devant sa cuisinière, à faire cuire...

— Sens-moi cette omelette format géant, Chloé...

Je hurle de rage :

— Cannibale! Mangeur d'enfants! Assassin!

Je ne lui lance pas que des insultes à la tête, mais également les quatre petits œufs que j'ai à portée de la main, sur le comptoir.

— Mais voyons, Chloé... Ayoye!

Pan! Dans le mille! Au parc d'attractions, j'aurais gagné une poule en peluche.

Je m'enfuis à toutes jambes, les yeux pleins de larmes, pleurant mon Coco, passé à la poêle, comme un vulgaire œuf de poule.

— Mamaaaaaaaaaan!

Maman sort de la maison et je m'élance dans ses bras, trouvant refuge contre sa poitrine. Je ne parviens pas à me calmer. Mon index tremblant pointe la maison du monstrueux voisin.

— Coco... Omelette...

— Je ne comprends pas, Chloé.

Papa arrive au même moment.

— Que se passe-t-il? demande-t-il en me voyant aussi bouleversée.

Il porte, dans ses bras, Coco, avec une casquette de golf sur le bout pointu.

— Coco? Coco!!!

J’arrache Coco des bras de mon père et le garde serré contre moi, soulagée de le voir en une seule coquille.

— Je voulais l’initier au golf, explique papa en s’élançant gracieusement avec un bâton imaginaire.

Monsieur Létourneau surgit soudain, le visage dégoulinant de jaunes d’œufs. Il gronde, il bouille…

— Je m’occupe de Coco, il… il a mouillé sa couche, dis-je en m’éclipsant dans la maison.

Je referme la porte derrière moi, juste à temps pour voir le voisin écraser un œuf sur le crâne d'œuf de papa… qui rit jaune.

Je lui expliquerai tout à l'heure la colère du voisin.

Peut-être…

6

COCOÉQUIPIÈRE

Ce n'est pas une blague : Coco a bel et bien mouillé sa couche. Maman lui en a enfilé une avant que papa l'entraîne au golf sans m'en parler... C'est vrai que la chasse aux animaux de Pâques occupait toute mon attention.

Il n'y a pas de petits œufs au chocolat dans la couche, non, c'est plutôt un liquide... comme du blanc d'œuf. Il a coulé par une toute petite fissure, de la partie... euh... plus large de Coco.

Je veux la réparer avec du ruban adhésif, mais maman, avec un tendre sourire, m'assure que ce n'est pas nécessaire.

— Il ne faut pas que Coco s'écoule par le petit trou...

J'ai dû dire quelque chose de drôle parce que papa se met à rire. Son regard croise celui de maman. Un regard des grands jours.

— Ça s'en vient ? demande-t-il.

— Oui, répond simplement maman.

Elle dépose Coco dans son petit berceau et allume la lumière de l'incubateur.

— Et si tu le mettais dans mon lit, il serait sûrement plus à l'aise.

— Bonne idée, généreuse Chloé, me dit maman.

— J'appelle le vétérinaire ? interroge papa.

— Le médecin, plutôt, corrige maman.

— Oui, c'est ça.

La coquille de Coco a changé de texture. Quand il est arrivé à la maison, elle était dure, maintenant elle est plus molle... et plus chaude.

— Maman, Coco fait sûrement de la température.

Je cours chercher le thermomètre. Par où le mettre? Ça, c'est une bonne question...

— Non, Chloé, tout va bien. Pose tes mains sur Coco.

Je m'exécute du bout des doigts. Je les enlève vivement.

— J'ai senti Coco bouger dans l'œuf.

Les mains de maman emprisonnent doucement les miennes et nous caressons Coco. Cette fois, je ne suis pas surprise. Ça me fait tout drôle de sentir ce petit être dans sa coquille.

— C'est comme dans le ventre de maman, dit papa, qui a appelé le médecin.

— C'est sa tête, ici? Sa cuisse? Sa poitrine?

— Alouette! dit papa en riant.

Le docteur nous rejoint au bout d'une dizaine de minutes.

— Il est sur le point d'éclore.

Avec son stéthoscope dans les oreilles, il écoute ce qui se passe à l'intérieur de l'œuf. Il retire son appareil, l'air préoccupé. Je demande:

— Coco va bien?

— Il faut l'aider à sortir de là, dit le docteur.

Il tend à papa un marteau semblable à celui qu'on utilise pour tester les réflexes des genoux.

— Cette fois-ci, on ne coupe pas le cordon ombilical: on brise la coquille.

— Et si je frappais l'œuf contre le comptoir de la cuisine? suggère papa.

— Non! réplique maman vivement. Tu ne connais pas ta force! Tu crèves toujours le jaune quand tu fais ça.

Papa examine l'œuf sous toutes ses coutures. Il fait le tour de la question, ne sachant trop par quel bout commencer: celui plus pointu, ou l'autre plus large? Homme de compromis, il opte pour le milieu, après avoir reçu l'appui de maman, du docteur et surtout le mien.

Il approche sa tête de Coco pour s'assurer de l'endroit où il frappera.

Un petit poing passe au travers de la coquille pour atterrir sur le nez de papa.

Paf! sur le pif.

Et papa en laisse tomber le marteau sur son pied. Il sautille sur une patte, tel un flamant rose, la main sur le nez.

SAMPAR

— Mais, aidez-le! rugit maman.

Le docteur se précipite vers papa.

— Pas lui! Le bébé, quoi! dit maman sur un ton exaspéré, comme s'il s'agissait d'une évidence.

Le docteur complète avec précaution le travail amorcé par la nature.

— Oooooooh! dis-je avec admiration.

— Félicitations, lance le docteur à mes parents. C'est un... Attendez.

Il retire le petit bout de coquille qui cachait encore le petit bout de...

— Oui, c'est un beau garçon, tout frais sorti de sa coquille, tout neuf, tout nettoyé.

Papa en oublie son nez et, respirant le bonheur, il embrasse maman.

— Tu veux le prendre, Chloé? demande maman.

— Sûr!

Mes bras se transforment en nid comme ceux d'une maman pour accueillir mon petit frère.

Je l'embrasse sur le front. Je sens ses cheveux. Ils dégagent un doux parfum de shampoing aux œufs.

Il n'a pas de plumes, rien qu'un petit duvet… sur sa peau toute rose.

Quelle sensation extraordinaire!

Nous sommes quatre.

Et je chante:

C'est la poulette grise,
qui a pondu dans l'église.
Elle va pondre un petit coco,
pour Coco qui va faire dodo,
dodiche, dodo.

Mes parents ont choisi Marco comme prénom. Mais pour moi, il restera toujours mon petit Coco.

— Maman, je pense qu'il m'a fait une risette.

— C'est possible, Chloé. Il a reconnu ta voix.

Le docteur s'apprête à nous quitter.

Je lui dis avec mon plus beau sourire :

— Docteur, un Coco comme lui, j'en prendrais une douzaine !

TABLE DES CHAPITRES

DEUX ANS PLUS TARD...

Je ne suis pas pressée ! Maman doit venir me chercher à la fin de l'école, avec mon petit frère Marco. J'espère que personne ne le verra, j'aurais trop honte. À deux ans, il ne sait toujours pas dire autre chose que « Tchiiip-Tchiiip ». Et lorsqu'il commence sa « danse du Coco » en se trémoussant le croupion, c'est la fin de tout. Je l'aime beaucoup, mon petit frère, mais à la maison seulement...

Alain M. Bergeron

ESPÈCE de Coco

ÉDITIONS
PIERRE TISSEYRE
www.tisseyre.ca

TOME 2

roman

1

INCOCOGNITO

Je ne suis pas pressée.

La journée à l'école est sur le point de se terminer et les minutes s'égrènent trop rapidement. Contrairement aux autres, je ne suis pas impatiente de sortir d'ici.

La cloche sonnera d'ici peu, à quinze heures trente, et tout le monde se précipitera dans la cour d'école. Certains s'engouffreront dans les autobus, cherchant la meilleure place à l'arrière. Les retardataires devront se contenter des bancs les plus proches du chauffeur, qui les aura à l'œil.

Et puis, il y a les autres qui rentreront à pied chez eux, seuls, avec des amis... ou leur mère ou leur père.

Ça ne me dérange pas de me rendre seule à la maison ; je suis assez grande, à neuf ans, même si mon voisin, Martial Létourneau, ne cesse de m'embêter en chemin. Comme je cours vite, il ne me rattrape pas souvent.

Ce n'est pas qu'il soit fort, mais il est idiot, et il aime s'en prendre aux plus petits que lui. Et comme c'est le plus grand de la classe, il a le choix.

Mais ce n'est pas à cause de lui que je n'ai pas hâte que la classe finisse aujourd'hui. Non, ma mère vient à ma rencontre. Et elle ne viendra pas seule...

Maman sera avec Marco... mon Coco de frère !

Martial a une petite sœur, Marguerite. Elle aura bientôt deux ans, comme mon frère. Mais là s'arrêtent les comparaisons.

Sa « Petite Fleur », comme il l'appelle, est déjà propre. Elle ne porte plus de couche, même pas pour le dodo.

À dix mois, elle marchait déjà, sans se frapper la tête contre les pattes de la table.

Elle parle beaucoup et on comprend ce qu'elle raconte. Elle a dit ses premiers mots avant d'atteindre un an : papa, maman, Tial... pour Martial.

Elle a pas mal de dents dans la bouche. Comme elle est toujours de bonne humeur, elle montre beaucoup son sourire.

Ah, si c'était pareil pour Coco !

— Est-ce que Marco t'attend après l'école ? me demande mon amie Rose-Marie.

— J'espère que non, dis-je dans un murmure, sachant fort bien que ce sera le cas.

— Pourquoi tu dis ça ? Il est drôle, ton Coco ! J'aimerais bien l'avoir comme petit frère, réplique-t-elle, agacée par mon attitude.

— Je peux te le louer, pas cher, pour quelques mois, si tu veux...

— Voyons, Chloé. Tu racontes n'importe quoi! répond Rose-Marie, l'air insulté.

La cloche sonne et met fin à notre discussion. Je range mes livres et mes crayons dans mon sac d'école. Sans me dépêcher, je me dirige vers la sortie.

En passant près de moi dans le couloir bondé d'élèves, Martial Létourneau hurle à mon oreille:

— Ton Coco de frère t'attend encore aujourd'hui?

Il éclate d'un rire méprisant, dévoilant deux grosses palettes qui rendraient jaloux tout castor digne de ce nom.

— Ah! Va donc te faire cuire un œuf!

Je ne sais pas pourquoi je lui ai lancé ça. Ce n'était pas approprié.

2

LA DANSE DU COCO

Dès que je franchis le seuil de la porte de l'école, j'aperçois ma mère. Elle me fait signe de la main. Je lui réponds d'un bref salut.

— Coco est là ! dit mon amie Rose-Marie, excitée.

Elle ne l'a pas vu depuis une semaine. Mon frère a été malade. Il avait des problèmes de digestion. Notre médecin de famille l'a soulagé avec de petites capsules de yogourt qu'il doit avaler trois fois par jour.

Depuis, Coco va beaucoup mieux.

Sans ménagement, mon amie me prend par le bras et m'entraîne jusqu'à Coco, assis dans sa poussette, les pieds nus, mais le crâne couvert d'un large chapeau. Il fait très chaud aujourd'hui.

— Bonjour, maman...

— Bonjour, ma chouette, dit-elle en déposant deux baisers sur ma joue.

— Ne m'appelle pas comme ça, maman. Tu sais que je déteste ça...

En vérité, je vous le dis, j'aime quand elle me donne de petits surnoms affectueux, mais pas devant ma camarade de classe.

— Préfères-tu, euh, mon trésor ? ma puce ? mon petit chou ? mon poussin ?

— Nooooon ! Surtout pas « mon poussin » ! dis-je en glissant un regard à Coco.

— Tu pourrais embrasser ton frère, me dit-elle sur un ton de reproche.

— Ouais, embrasse sa tête d'œuf, dit Martial Létourneau qui vient de se joindre à la conversation sans que je l'y invite.

Je lui réplique aussi sec, juste avant qu'il s'éloigne :

— Occupe-toi de ta sœur !

— Chloé…, gronde maman.

— Bon, d'accord…

Et Coco me tend les bras pour que je le prenne. En vitesse, je bécote sa tête ronde qui sent le shampoing aux œufs. Comme mon père, il n'a pas de cheveux, juste un petit duvet de rien du tout.

— Bonjour, Coco, dit Rose-Marie en lui prenant la main.

— Dis bonjour à Chloé et à Rose-Marie, gazouille ma mère.

Les autres enfants de son âge ont déjà plusieurs mots à leur vocabulaire. Marco – c'est son vrai nom, mais moi j'ai décidé dès sa naissance qu'il s'appellerait Coco –, Coco, donc, ne parle pas encore. Alors, tout ce qu'il sait dire, c'est : « Tchiiip ! Tchiiip ! Tchiiip ! »

Ma mère est la seule à comprendre son charabia « Tchiiip-Tchiiip ». C'est son interprète. Mon père saisit quelques « Tchiiip » à l'occasion, ou bien il fait semblant.

— C'est gentil, Marco. Fais un beau sourire à ta grande sœur et à son amie, lui dit maman.

Il ferme les yeux, avance la tête et ouvre la bouche. Mais même en plein soleil, il n'y a pas l'ombre d'une dent dans cette cavité béante.

— Ce qu'il est mignon! lance Rose-Marie, ravie. Allez, Coco. Dis « Chloé ». Dis « Chloé ».

— Tchiiip! Tchiiip! Tchiiip!

— Bravo, Marco! crie ma mère, excitée comme une enfant devant une crème glacée en pleine canicule.

Franchement! J'espère qu'il ne... Ah non! Pas ici!

Quand Coco est content, et c'est le cas cet après-midi, il adopte un comportement très étrange. Il... Ah, il fallait bien s'y attendre. Le voilà qui commence!

Coco bondit hors de sa poussette avec une agilité surprenante. Il grimpe sur le barreau avant de la poussette où ses pieds nus s'agrippent. Et là, il pousse gaiement ses « Tchiiip! Tchiiip! Tchiiip! ».

Et ma mère trouve la scène amusante.

Ce que je suis gênée! Je voudrais rentrer sous terre!

Ce n'est pas tout. Une fois son bavardage incompréhensible terminé, il saute dans la cour et entame ce que j'appelle « la danse du Coco »... Il bat des bras, se trémousse frénétiquement le croupion, puis s'avance à pas lents, dodelinant de la tête et poussant de petits gloussements de plaisir. Pour terminer, il laisse échapper un petit cri de joie.

J'ai honte de le dire, mais on dirait… une poule!

À la maison, je l'accompagne dans sa danse du Coco et nous nous amusons beaucoup. Mais, pour le moment, j'aimerais être une autruche pour m'enfouir la tête dans le sable à tout jamais. Pourvu que personne ne le voie…

— Mamaaaaan! dis-je à voix basse afin de ne pas attirer l'attention. Ne le laisse pas faire ça, ici…

Mais maman est trop occupée à danser avec son fils. Jusqu'à mon amie Rose-Marie qui veut entrer dans la danse. Ça ne s'arrêtera donc jamais?

L'aboiement lointain d'un chien, bienvenu dans les circonstances, met un terme aux agissements de mon frère. Nerveux, Coco se précipite dans les bras de ma mère. C'est qu'il a terriblement peur des chiens. Ma mère, qui n'a rien perdu de sa belle humeur, l'embrasse, le rassure, puis le rassoit dans sa poussette.

— Tu viens, Chloé? On retourne à la maison. Au revoir, Rose-Marie.

— À la prochaine, madame. Tu reviendras nous voir plus souvent, mon beau Coco. Tu m'apprendras à danser comme toi, dit mon amie en lui caressant doucement la tête.

Mon frère a retrouvé son calme et lui adresse un sourire.

Je salue rapidement Rose-Marie et nous quittons les lieux. J'espère que les autres enfants qui jouaient dans la cour n'auront rien remarqué.

Déjà que des rumeurs circulent selon lesquelles mon petit frère n'est pas normal.

Ma mère ne devrait pas le sortir en public, surtout pas pour venir à mon école.

Après tout, ce n'est pas ma faute si Coco est venu au monde dans un œuf...

3

LA COCOQUILLE

Je n'oublierai jamais ce jour où papa et maman sont revenus de l'hôpital. Je pensais que l'on ajouterait à notre famille une petite sœur qui s'appellerait Corinne ou un petit frère prénommé Marco.

Mes parents portaient dans leurs bras... un gros œuf!

Je pensais que c'était une blague. Mais non. Cet œuf-là, c'était ce qui se trouvait dans le ventre de ma mère! Mère Nature nous avait joué un sale tour.

Je n'étais pas très heureuse. Moi qui voulais dorloter un bébé rose, j'ai dû prendre soin d'un gros œuf, sans même savoir ce qu'il y avait dedans. Il fallait agir comme si ce Coco faisait partie de la famille. Mes parents l'ont installé dans MA chambre, sans ma permission, sous la lumière d'une couveuse pour le réchauffer la nuit.

Et puis, un jour, pendant que je lui chantais *La poulette grise* – vous savez, celle « qui a pondu dans l'église » –, l'œuf a bougé au son de ma voix.

J'ai compris qu'il y avait un petit être là-dedans qui m'entendait.

Enfin, la coquille est devenue plus chaude et plus molle, et Marco – parce que c'était un petit garçon – en a brisé les morceaux. Il a vu le jour un 23 avril, en pleine fête de Pâques.

Coco a pris un temps fou avant de marcher, vers les dix-huit mois. Ses petites jambes maigres avaient toutes les difficultés du monde à le porter. Mais dès le lendemain de ses premiers pas hésitants, il courait partout, comme un vrai petit *roadrunner* – bip-bip ! – battant des bras. C'est une habitude qu'il n'a pas perdue depuis.

Il est très léger. Il adore quand mon père le prend dans ses bras et le lance en l'air. Parce que son fils est un poids plume, papa peut jouer ainsi pendant de longues minutes sans trop se fatiguer. Avec moi, lorsqu'il le fait une fois, il va ensuite se coucher, car il a mal au dos !

Côté nourriture, maman l'a gavé au lait de poule pendant les premiers mois. Quand est venu le temps des aliments solides, elle a vite conclu qu'elle ne les lui donnerait pas dans une assiette, mais directement sur la tablette de sa chaise haute. Là, il pouvait les ramasser à sa guise avec ses doigts ou d'un rapide

coup de bec qu'il accompagnait chaque fois d'un « mmmmm... ». Ce son indiquait bien qu'il se régalait. Je vous épargnerai les détails de notre première sortie au restaurant avec Coco. J'en rougis, juste à m'en souvenir...

Il ne parle pas, malgré mes nombreux encouragements. Je lui répète sans cesse mon prénom. Au lieu de dire « Chloé », il se contente de ses « Tchiiip ! Tchiiip ! Tchiiip ! ». C'est vraiment inutile d'essayer.

Le matin, dès que le soleil se pointe à ma fenêtre, Coco se réveille, se perche sur le barreau supérieur de son lit et « tchiiipe » un bon coup, comme pour souhaiter la bienvenue à la nouvelle journée. Alors, l'été, comme il dort dans la même chambre que moi, nous nous levons à l'heure des coqs.

Dès que le soleil se couche, Coco se couche aussi... à l'heure des poules. Je lui lis une histoire, souvent les *Contes de ma mère l'Oye*, puis je le mets au lit en lui chantant notre chanson : *C'est la poulette grise*.

J'ai essayé d'autres chansons, mais il a pleurniché tant qu'il n'a pas entendu

sa « poulette ». Ça doit lui rappeler quand il l'écoutait, bien à l'abri, dans son œuf.

Heureusement, il s'endort très rapidement, parce que je commence à manquer de couleurs pour ma chanson. Hier, je me débattais avec la poulette verte, et je ne savais pas trop où elle allait pondre... Ah ! Dans la couverte, bien sûr. J'aurais dû y penser. J'en prends note.

Coco porte encore une couche dans laquelle se déposent chaque matin un tas... de petites boules rondes et brunes, un peu comme des œufs en chocolat, l'odeur en moins. Si jamais Martial Létourneau avait le nez bloqué par un rhume, je compte bien lui en apporter quelques-unes pour sa collation, à la récréation. Quitte à ce qu'il me prenne encore plus en grippe !

Malgré ce qui s'est passé à l'école, n'allez surtout pas croire que je n'aime pas Coco ! Nooon ! Je m'ennuie souvent de lui. Je l'adore et j'éprouve beaucoup de tendresse pour lui... à la maison !

4

MALCOCOMMODE

Comme la vie ne peut se résumer ou se limiter à la maison, je dois aller à l'école. J'espère bien fort que personne de ma classe n'a vu mon frère à l'œuvre, hier après-midi. Je pourrais ainsi avoir la paix jusqu'à... ce soir, lorsque ma mère viendra de nouveau me chercher en sa compagnie.

Avant de partir de chez moi, j'embrasse Coco. Il met ses bras autour de mon cou et me serre très fort en me murmurant à l'oreille de tendres « Tchiiip ! Tchiiip ! Tchiiip ! ».

— Bonne journée, mon Coco.

Il me répond à sa façon habituelle.

J'aimerais tant qu'il prononce mon nom avant celui de mes parents…

Papa le prend dans ses bras pour le percher sur son épaule droite.

— Ce n'est pas un perroquet, papa! dis-je, offusquée.

À l'exception d'une couronne de cheveux qui lui barre l'arrière du crâne, mon père a la même tête que Coco. La meilleure image que je pourrais vous en donner, c'est celle d'un œuf inversé. C'est le fils de son père, impossible de le nier. Pourtant, quand les gens les rencontrent, ils lui affirment tous que Coco ressemble à… sa mère, ce qui le met hors de lui.

Avec mon frère sur son épaule, on dirait qu'il porte deux têtes!

Et papa me dit, en incitant Coco à l'imiter:

— Bye-bye, Chloé… Bye-bye, Chloé…

Coco fait visiblement un grand effort, mais ne peut piailler que ses «Tchiiip!» habituels.

— Attention!

Coco perd l'équilibre et bascule vers l'arrière. Mon père ne peut le rattraper à temps. Une chance que maman passe par là. Elle évite une sérieuse blessure à mon frère en s'interposant entre lui et le sol. Installé confortablement dans ses bras, Coco roucoule de bonheur, inconscient du danger qu'il vient d'éviter.

Je laisse échapper un soupir de tendresse. C'est vrai qu'il est mignon, mon Coco, comme le répète toujours mon amie Rose-Marie.

Martial Létourneau est toujours aussi insupportable en classe. Pendant que Geneviève, notre professeure, a le dos tourné, il en profite pour projeter de petites boules de papier mâché dans mes cheveux. Il est assis derrière moi. Entre chaque projectile, il murmure assez fort pour n'être entendu que de moi :

— Cocotte ! Cocotte ! Cocotte !

Furieuse, je lui retourne l'un de ses papiers en pleine figure. La scène, cette fois-là, n'a pas échappé à notre enseignante.

— Chloé, cesse d'embêter Martial !

Je proteste vivement :

— Mais c'est lui qui...

— Ce n'est pas ce que j'ai vu, dit-elle sur un ton qui n'admet aucune réplique, tout en me pointant avec sa craie.

Satisfaite, elle reporte son attention au tableau où elle écrit des problèmes de mathématiques, avec des tas de chiffres qu'il faudra additionner ou soustraire.

— Je te retrouve après l'école, ma poulette, souffle Martial, fier comme un paon.

Il n'a même pas à me chercher. À la sortie de la classe, même si je suis avec mon amie Rose-Marie, il me barre le passage. Emportée par mon élan, je lui rentre dedans. Mais, parce qu'il est plus imposant que moi, il ne bronche pas d'une épaisseur de coquille d'œuf et il me saisit rudement le bras.

— Laisse-nous tranquilles, Martial, lui lance Rose-Marie.

C'est bien courageux de sa part de se porter à ma défense, car elle est toute menue. Elle soutient le regard porcin de Martial qui semble surpris de sa réaction.

C'est suffisant. La présence, à portée de voix, de notre professeure achève de le convaincre de relâcher son étreinte.

Sans hésiter, je me faufile, avec Rose-Marie sur les talons, pour atteindre sans encombre la cour de l'école. Martial ne nous lâche pas d'une semelle.

À l'extérieur, il me harcèle de nouveau. Cette fois-ci, malgré ma volonté de discrétion, plusieurs élèves imaginent déjà le possible affrontement et, tels des vautours, se dirigent vers nous. Nous sommes encerclés, pas moyen de m'en sortir facilement.

Martial n'osera pas s'en prendre à moi physiquement. Il est trop lâche pour le faire en public ; il préfère attendre d'être seul avec moi. Il passe plutôt à l'attaque sur un autre front.

Je peux sentir le souffle exalté des enfants dans mon cou. La présence de Rose-Marie à mes côtés me donne un peu confiance. Je croise son regard. Je devine qu'elle ne me laissera pas tomber.

— Alors, ma Cocotte? siffle Martial entre ses dents écartées.

— Alors, quoi? Et c'est Chloé, mon prénom!

— Alors, ma Cocotte, reprend Martial, ignorant mon avertissement. C'est vrai que ton frère faisait la poule, hier?

Je me doutais bien qu'il m'en parlerait. Il doit l'avoir vu ou bien quelqu'un lui a raconté la scène...

— Pffff! Ce n'est même pas vrai! dis-je, sans même cligner des yeux. Ce n'était pas mon frère...

Il n'y a pas de risque à mentir, je ne suis pas Pinocchio, après tout.

Martial devait prévoir ma réponse, car il revient à la charge.

— Ma petite sœur dit « Papa, maman » depuis longtemps. C'est vrai que ton petit frère fait des « Tchoup ! Tchoup ! Tchoup ! » ?

Quelqu'un lui glisse une remarque à l'oreille, et Martial corrige :

— Ce n'est pas « Tchoup ! », mais « Tchiiip ! »... Ça sonne quelque chose à tes oreilles ?

— C'est faux ! crié-je. Ce n'est pas mon frère, tu ne veux donc pas comprendre ?

Un peu comme pour un match de tennis, les têtes suivent le déroulement du jeu, se tournant en même temps vers celui qui envoie ou celle qui reçoit.

— Mais, Chloé, voyons, qu'est-ce que tu racontes ? me chuchote Rose-Marie en me touchant le bras.

Je lui lance un regard furieux. Ce n'est pas le moment, Rose-Marie. Pas aujourd'hui...

Mais Martial n'en a que faire. Pour la troisième fois en moins de deux minutes, il m'interpelle :

— C'est-vrai-que-ton-frère-est-venu-au-monde-dans-un-œuf ? demande-t-il, martelant chacune des syllabes.

Un long silence suit sa question. Les enfants sont suspendus à mes lèvres. C'est lourd à porter comme réponse. Les yeux de Rose-Marie m'implorent de dire la vérité.

— Et puis ? Réponds ! lance durement une voix de fille dans le groupe.

Pour une troisième fois, je renie mon frère.

— Noooon ! dis-je en hurlant, au bord des larmes.

À ce moment, je ne sais pas pourquoi, je crois entendre chanter un coq.

— Cocoricoco ! Cocoricoco !

— Chloé, attends ! me dit Rose-Marie, alors que je me fraie un passage dans la foule.

Je l'entends lancer à Martial :

— J'espère que tu es fier de toi ?

Et lui de répondre :

— Oui, tout à fait !

Comme si ce n'était pas assez, je vois maman avec Coco dans sa poussette, qui m'attendent plus loin dans la cour, inconscients de ma pénible mésaventure.

Je passe en coup de vent près d'eux.

— Espèce de Coco ! lui dis-je avec rage en éclatant en sanglots.

Je m'éloigne en courant, sourde aux appels de ma mère.

5

COCOMMUNICATION

Je m'enferme à double tour dans ma chambre, même si ma porte n'a pas de serrure. Je m'effondre sur mon lit, le visage baigné de larmes enfoui dans mon oreiller.

Je ne sais pas si je pleure parce que j'ai été humiliée par ce diable de Martial devant tous les élèves de l'école, ou parce que j'ai renié mon petit frère que j'aime tant. Je me sens comme une vulgaire poule mouillée.

La porte de la maison s'ouvre. Maman arrive avec Coco. Il se met à « tchiiiper », mais sur un ton très triste qui ne trompe personne.

On frappe à ma porte.

— Je ne suis pas là, maman, dis-je en reniflant à travers mon oreiller.

— C'est moi...

Ce n'est pas ma mère, mais Rose-Marie.

— Va-t'en ! Tu ne vois pas que je suis occupée à pleurer ?

Mon amie ouvre la porte et s'assoit au pied de mon lit.

— Qu'est-ce que tu veux ? dis-je bêtement, sans relever la tête.

Je suis bien trop fâchée contre moi pour la regarder.

— Tu sais, Chloé, je donnerais tout l'or du monde pour avoir un petit frère comme Coco. Mes parents ont essayé bien des fois d'ajouter un enfant à la famille, mais ça n'a jamais fonctionné.

Rose-Marie est fille unique. Depuis que Coco est au monde, elle ne cesse de m'envier. Comme je suis chanceuse...

— Peut-être que Coco a un comportement qui peut paraître étrange aux yeux des autres... La première fois que je l'ai vu faire sa danse du Coco, ça m'a un peu

surprise. Ta mère m'a expliqué qu'il était vraiment né dans un œuf, et...

La tête me bondit hors de l'oreiller.

— Elle t'a dit ça? Mais...

Je suis sur le point de dire, encore une fois, que ce n'est pas vrai. Mais Rose-Marie tient Coco dans ses bras. Il me regarde avec l'air tellement triste que les larmes me remontent aux yeux.

— Et puis après, Chloé? Qu'est-ce que ça peut faire que les enfants viennent au monde dans des œufs, ou des choux, ou qu'ils soient apportés par une cigogne?

Elle éclate de rire en plantant un gros baiser sur le front de mon frère.

— Je connais depuis longtemps l'histoire de Coco. Même qu'à la maison, j'ai cassé deux douzaines d'œufs pour essayer d'y trouver un petit frère ou une petite sœur...

J'imagine Rose-Marie dans sa cuisine et je souris.

Coco me tend les bras. Sans hésiter une seconde, je le serre fort contre moi.

— Je t'aime tellement, mon beau Coco. Excuse-moi...

Nous nous donnons plein de becs sur le nez, les joues, le front. Chacun de ses baisers est accompagné d'un « mmmmm... » de bonheur. Je l'imite et je lui dis comme jamais encore je ne l'avais fait :

— Chloé « mmmmm... » Coco... Chloé « mmmmm... » Coco...

Il me regarde. Ses grands yeux rient maintenant. Et là, j'éprouve une aussi grande surprise que la fois où j'ai constaté que Coco, dans son œuf, se balançait au son de ma voix dans son petit lit.

— Coco « mmmmm... » Chloé...

— Mam... mamaaaaaaan ! Coco a dit mon nom !

Je hurle ma joie dans toute la maison en faisant la danse du Coco.

6

DÉCOCOLLAGE

Mon amie Rose-Marie a eu une très bonne idée pour la communication orale d'aujourd'hui. Il s'agit de...

La cloche sonne le début du cours. Geneviève a demandé à ses élèves de parler du sujet de leur choix.

— Chloé, c'est à toi, me dit-elle.

Je prends une grande respiration pour calmer mon trac. Toutefois, je ne vais pas me planter devant le tableau. J'ouvre la porte et je laisse entrer ma mère, tenant dans ses bras... Coco ! Celui-ci est salué par des cris de joie de la part des amis de la classe, à l'exception de Martial, qui est étrangement silencieux.

Coco leur répond par de joyeux « Tchiiip ! Tchiiip ! Tchiiip ! ». Et vous voulez savoir ? Ça ne me dérange même plus !

Une fois le calme rétabli, ma mère s'installe à l'arrière de la classe. Je commence ma communication orale. Je n'ai pas besoin de la savoir par cœur, parce que je la dis avec... mon cœur !

— Je voudrais vous présenter mon petit frère Marco, que je surnomme affectueusement Coco.

Puis je m'adresse à lui :

— Bonjour, Coco...

Et il me répond en s'agitant :

— Coco ! Coco ! Coco !

Les élèves s'amusent à répéter son nom. Plus ils le disent, plus lui aussi rigole. Même Martial ne s'attendait pas à cette réaction.

Je prends Coco dans mes bras et je lui donne un baiser sur la joue. Il me rend la pareille.

— Coco, vous l'aurez peut-être remarqué, n'agit pas toujours comme les autres enfants. Mais ça ne me fait rien, car je l'aime beaucoup et je n'accepterai pas qu'on se moque de lui.

Et là, je fixe Martial du regard. Coco approuve à sa façon en m'embrassant une autre fois.

— Oui, il est né dans un œuf. On ne sait pas trop pourquoi, mais c'est comme ça. C'est mon petit frère adoré. Et mon amie Rose-Marie n'arrête pas de me dire à quel point je suis chanceuse de l'avoir.

Je la regarde avec douceur.

— Et elle a raison !

Les élèves manifestent leur approbation en nous applaudissant. Je sens que le vent a tourné en ma faveur... et qu'il transporte une odeur familière à mes narines.

— Même si, des fois, Coco ne choisit pas toujours ses moments pour se soulager. Maman, il faudrait changer sa couche.

Je reporte mon attention sur Martial. Je me méfie de lui. Il est trop tranquille pour être honnête. Mais que fait-il ? Il sort une boîte de sous son bureau. Y a-t-il glissé sa petite sœur ? Il aurait pu au moins faire des trous pour lui permettre de respirer, l'animal ! La boîte est juste assez grande pour elle. À moins que... Horreur !

J'aurais dû m'en douter. Son sujet de communication orale vient de sortir la tête de sa boîte. C'est son stupide chien ! D'un geste vif, Martial lui retire sa muselière. À la vue de Coco, l'affreux cabot se met à aboyer !

Mon frère tremble, en proie à un début de panique. J'essaie de le rassurer, mais rien n'y fait. Avant que maman ait pu intervenir, Coco s'échappe de mes bras et s'enfuit à toutes jambes par la porte ouverte de la classe.

— Vas-y, Kentucky. Attrape-le ! ordonne Martial en libérant son chien de la boîte.

La bête se faufile avec agilité parmi les pattes des pupitres et des chaises dans la classe et disparaît à son tour dans le couloir, poussant de furieux aboiements. J'explique en vitesse la situation à ma professeure.

— Coco a une peur bleue des chiens.

Puis je fonce à la poursuite du chien et de mon frère, suivie de ma mère.

Pendant que Geneviève gronde sévèrement l'élève fautif, nous nous élançons dans le couloir. Tout au bout, Coco court, tel un *roadrunner* – bip-bip ! –, porté par ses petites jambes, tentant de creuser l'écart qui le sépare de ce coyote de chien. Mais le petit animal est rapide et gagne du terrain.

Après l'entrée principale, Coco sort dans la cour de l'école par la porte restée ouverte. Vite, il faut le rattraper. Toute la classe participe maintenant à l'opération. Même Martial est du groupe,

mais pas pour les mêmes raisons que les autres.

Son chien Kentucky se rapproche de plus en plus de Coco. Il est trop tard pour nous interposer.

— Plus vite, Coco ! Plus vite !

Le chien saute sur mon petit frère, lui mord le fond du pantalon, qui se déchire sous ses crocs. Coco se libère. Il ne porte maintenant plus que sa couche.

Abandonnant le vêtement de mon frère, Kentucky reprend sa chasse. Il ne met pas de temps à le rejoindre. Coco est cuit ! Il arrive devant la clôture. Aucune issue possible. Alors que le chien s'apprête à le mordre de nouveau, Coco se retourne, lui tire la langue, bat des bras de plus en plus vite, bondit très fort sur ses deux jambes et puis... s'envole !

Qu... quoi ? Coco vole ? Coco sait voler ? Que la peur donne des ailes, je le savais ! Mais à ce point, j'en reste bouche bée.

— Regardez dans le ciel ! crie un élève.

— C'est un oiseau ? demande un autre.

— C'est un avion ? dit un troisième.

Et je réponds avec une grande fierté :

— Mais non ! C'est mon frère Coco !

Mon amie Rose-Marie a immobilisé le chien qui aboie et le tient bien en laisse. Après lui avoir enfilé sa muselière, elle le ramène non pas à son maître, mais à notre professeure. Geneviève dit sévèrement à Martial :

— Tes parents vont avoir de mes nouvelles, jeune homme.

Réduit au silence, le chien n'est plus une menace. Maman appelle Coco. Mais où est-il passé ?

— Là-haut ! crie un enfant.

Mon frère s'est posé sur le toit de l'école.

— Je vais le chercher, Chloé, dit maman.

— Non, attends...

Confiante, je lui ouvre les bras et je lui crie :

— Viens me voir, mon beau Coco.

En guise de réponse, sans hésiter, mon frère s'élance dans le vide. Tous retiennent leur souffle.

— Il va s'écraser au sol ! hurle une voix dans la foule.

Au lieu de tomber comme une roche, il plane, les bras tendus, et descend en

douceur vers nous. Son aisance en vol est étonnante, comme s'il avait fait cela toute sa vie, le Coco!

Soudain, à quelques mètres du sol, la couche de mon frère se détache. Le principe de la tartine, vous connaissez? Celui qui veut qu'une tartine tombe toujours sur le plancher du côté de la confiture. C'est pareil pour la couche. Sauf que ce n'est pas de la confiture qu'il y a à l'intérieur. Et elle n'atterrit pas sur le plancher, mais directement dans le visage de... Martial. En plein dans le mille!

— Ta petite sœur n'est sûrement pas capable d'en faire autant, n'est-ce pas, Martial? lui dis-je, tandis que Coco atterrit dans mes bras.

— Espèce de Coco, grogne Martial, le visage barbouillé.

Même ses palettes sont tachées de vous savez quoi. Il en a pris plein la poire! Il s'éloigne, honteux, sous les huées moqueuses des enfants.

— Coco « mmmmm... » Chloé!

— Moi aussi, je t'aime, mon beau Coco.

Je le dépose par terre. Il bondit et rebondit de joie. Il va… Ah oui !

Faire la danse du Coco ! Il bat des bras et se trémousse frénétiquement le croupion, puis il avance à pas lents en balançant doucement la tête et en gloussant de plaisir. Et il recommence, imité par maman, par Rose-Marie, par moi, bien sûr, par ma professeure Geneviève, et par tous les amis de la classe. Et nous terminons la danse avec un grand cri de joie !

Du haut des airs, ça doit être assez spectaculaire à regarder, cette basse-cour à l'école.

Cher Coco ! Tu viens au monde dans un œuf, et voilà que tu voles. Quelle surprise nous réserves-tu, la prochaine fois ?

TABLE DES CHAPITRES

L'ÉTÉ SUIVANT…

Pendant les vacances d'été, le jeu préféré de Chloé et de son petit frère, c'est le cerf-volant. Ils aiment le voir se balancer, entre ciel et terre, au gré du vent. Et lorsqu'il ne vente pas, c'est Marco qui devient le cerf-volant ! C'est un Super Coco qui fend l'air, et qui ne redoute qu'une seule chose : l'affreux chien de Martial, la grande brute de l'école.

Alain M. Bergeron

SUPER COCO

ÉDITIONS PIERRE TISSEYRE

TOME 3

SUPER Coco

roman

1

RECOCOMMANDATIONS

J'ai hâte!

— Sois prudente, Chloé! recommande maman avant que je sorte de la maison.

Je tiens mon petit frère par la main. Son prénom, son vrai prénom, c'est Marco. Moi, je l'appelle Coco depuis sa naissance. Je trouve que ça lui va bien mieux.

Coco porte, avec toute la délicatesse de ses deux ans, un cerf-volant presque aussi grand que lui.

— Et fais attention aux fils électriques ! poursuit maman d'une voix forte pour être bien entendue.

— D'accord ! lui dis-je pour lui signifier que je ne fais pas la sourde oreille à ses recommandations.

De toute façon, il n'y a pas de fils électriques là où nous allons.

Le cerf-volant est l'un de nos jeux préférés, à Coco et à moi.

— Volant ! Volant ! dit Coco. Coco mmmmm volant !

Il n'a peut-être pas beaucoup de vocabulaire, mais il sait se faire comprendre.

— Chloé aussi ! dis-je.

Je lui retire son chapeau de soleil et je dépose un baiser sur son coco. Sa tête ronde n'est pas recouverte de cheveux, à l'exception d'un mince duvet. Il doit mettre un chapeau, car le soleil du début d'août tape très fort aujourd'hui. Une chance qu'il vente un peu.

Main dans la main, nous nous dirigeons vers un champ, pas trop loin de notre maison.

— Bonjour, Chloé ! Bonjour, mon beau Coco d'amour !

C'est Rose-Marie, ma meilleure amie. Elle est fille unique et elle adore mon petit frère comme si c'était le sien.

Quand Coco la reconnaît, il bondit jusqu'à elle avec enthousiasme. Elle le prend dans ses bras. C'est vrai que Coco ne pèse qu'une plume, ou deux s'il sort du bain.

Il lui fait un beau grand sourire, toujours sans dents, ce qui attendrit chaque fois le cœur de mon amie. Ensuite, Rose-Marie et lui font la danse du Coco. Lorsqu'il est très content, le Coco, il émet des « Tchiiip! Tchiiip! Tchiiip! ». Il bat des bras et se trémousse frénétiquement le croupion. Puis, il s'avance à pas lents, dodelinant de la tête et poussant de petits gloussements. Pour finir, il lance un cri de joie, imité, tel un écho, par Rose-Marie, qui semble y prendre un plaisir fou. Moi aussi, j'aime bien faire la danse du Coco, mais c'est comme les bonnes choses, il ne faut pas en abuser…

Une fois leur manège terminé, je demande à Rose-Marie :

— Dans quel sens souffle le vent ?

Elle glisse un index dans sa bouche et le pointe en l'air. Coco l'imite.

— Mmmmm, fait-il.

Il s'enfonce toute la main dans la bouche, la ressort pleine de salive et la pointe vers le ciel. Rose-Marie éclate de rire.

— Le vent est assez fort pour soutenir un bon cerf-volant, annonce-t-elle.

— Merci, Mademoiselle Météo, lui dis-je.

Rose-Marie file alors comme une flèche. Elle traîne son cerf-volant loin derrière elle, au bout d'une corde. Coco est sur ses talons. Il court très vite pour son âge.

« Bip-bip ! Bip-bip ! »

Un vrai petit *roadrunner*. Je jette un coup d'œil à la ronde. Heureusement, le coyote n'est pas en vue.

Soudain, le vent soulève le cerf-volant, salué par Coco.

— Volant ! Volant ! Chloé ! indique mon frère en désignant le ciel de l'un de ses doigts.

Ah… c'est son pouce.

— À mon tour !

Je démarre à toute vitesse. Je donne de la corde à mon cerf-volant pour lui permettre de s'envoler. Coco est maintenant derrière moi. Je l'entends crier :

— Volant ! Volant !

Je cours. Je cours. Je cours. À en perdre le souffle. Ça va décoller, je le jure ! Mais je m'écrase au sol, terrassée par l'effort. Il était temps que je m'arrête, sinon je fonçais dans le boisé au bout du champ.

Assise par terre, je ne peux que constater que le vent m'a laissée tomber… ainsi que mon cerf-volant. Mon amie Rose-Marie me rejoint.

— Tu t'es fait mal, Chloé ?

— Seulement à mon orgueil, dis-je, entre deux grandes respirations.

Elle m'aide à me relever.

— Il n'y a plus assez de vent pour éteindre une bougie allumée sur un gâteau de fête !

— Volant ? dit Coco, me touchant le bras.

— On ne peut plus jouer. Il n'y a pas de vent.

— Volant ! riposte-t-il.

— Mais Coco, on doit rentrer à la maison. Le jeu est terminé, dis-je, étonnée de sa réaction.

Il me lance un regard à faire fondre un glacier.

— Volant ?

— Le jeu n'est pas fini, Chloé, me glisse Rose-Marie à l'oreille.

Je ne saisis pas tout de suite son allusion. Ses yeux vont de Coco au ciel, du ciel à Coco...

— Oui... OUI ! Rose-Marie, tu es géniale ! J'aurais dû y penser avant toi.

— C'est pour ça que je suis ta meilleure amie, réplique-t-elle.

Je prends la main de mon frère.

— Coco, on va jouer au cerf-volant.

Avant même qu'il ait eu le temps d'amorcer sa fameuse danse, je l'entraîne au milieu du champ. Rapidement, je défais la ficelle du cerf-volant et je l'attache à la ceinture de mon petit frère.

— VOLANT ! crie Coco qui a tout saisi.

— Toujours pas de vent, Rose-Marie ?

— C'est calme ! dit-elle. Les conditions sont idéales.

— Compte à rebours ! Dix-neuf-huit-sept-six-cinq-quatre-trois-deux-un...

— Décollage ! hurlons-nous toutes les deux.

Nous courons côte à côte, une main sur la ficelle.

Je regarde derrière moi : Coco n'est plus là. Du moins, plus sur le plancher des vaches.

— Là-haut ! dit Rose-Marie.

— Coco !

— Volant ! crie-t-il de joie.

Dans un ciel sans aucun vent, Coco, battant doucement des bras, joue au cerf-volant... à sa manière !

2

PETITE FLEUR ET COCO

C'était trop beau pour durer.

— Ton frère peut bien aimer le cerf-volant. Il a tellement le « cerveau lent » ! Ha ! Ha ! Ha !

— Tu as dû y penser longtemps à celle-là, hein, Martial ? riposte Rose-Marie.

Mon amie ne s'est jamais laissé intimider par Martial Létourneau, le colosse de notre classe de quatrième année. J'ai cru qu'on aurait la paix, mais les brutes ne prennent pas de vacances.

— Ce n'est pas pour rien qu'il vole, ton Coco : il a une cervelle d'oiseau, renchérit Martial, dévoilant dans un sourire ses deux immenses palettes qui rendraient jaloux tout castor qui se respecte.

Heureusement, Kentucky, son stupide cabot, est à la maison. Ne prêtant aucune attention au mépris de Martial, je ramène doucement Coco vers le sol.

— Bonjour, Coco.

La petite voix vient de derrière les jambes de Martial. C'est sa sœur, Marguerite, sa « Petite Fleur », comme il l'appelle. Elle a le même âge que Coco. Elle a des dents, des cheveux, et elle parle bien, mieux en tout cas que mon Coco. Mais ce n'est pas grave, parce que Coco, je l'aime comme il est.

Quand mon frère touche le sol, Martial jappe. Coco saute dans mes bras, l'air apeuré.

— Tu te mettras une muselière la prochaine fois, l'avertit Rose-Marie.

Nous nous éloignons.

— Viens, Coco. On va jouer au parc.

— Ta coquille d'œuf ne porte plus de couche ? remarque Martial, les dents serrées.

— Il est propre maintenant, lui dis-je sans me retourner.

— C'est ça, oui ! Au moins, on ne risque plus de recevoir des bombes puantes dans la face.

Je souris à ce souvenir. Dans notre classe, Martial a lâché son chien sur Coco. Mon petit frère a une peur terrible des chiens. Quand on dit que la peur donne des ailes, eh bien, Coco en est le parfait exemple. Pour la première fois, il s'est envolé jusque sur le toit de l'école. Lorsqu'il a descendu vers moi en flottant, sa couche s'est détachée et elle a atterri dans le visage de Martial. Ses palettes ont amorti le choc.

— Et ne remettez plus les pieds ici ! C'est mon territoire ! hurle Martial.

— Ouais, c'est ça, bougonne Rose-Marie. Il l'a probablement marqué en urinant partout.

Je pouffe de rire.

— Bye, Coco ! crie Petite Fleur.

— Bye, Fleur ! répond Coco qui la salue de la main.

J'entends à peine Martial réprimander sa sœur.

Coco est sur mes épaules.

— Accroche-toi bien aux oreilles de Chloé ! lui conseille Rose-Marie.

Il s'exécute sans ménagement comme quand il essaie de tourner une poignée de porte.

— Aïe ! Pas les oreilles, Coco ! dis-je, avec une grimace.

— Bobo, Chloé ? demande-t-il, inquiet, en penchant la tête.

Nous voyons nos visages à l'envers. Il est beau, mon petit frère.

— Non, Coco. Pas de bobo.

Je soupire, et il me donne un bisou sur le front. Rose-Marie lui suggère :

— Coco, prends ses pouces au lieu de ses oreilles. Elle pourra mieux t'entendre.

Bonne idée !

Coco me saisit les pouces avec plaisir tandis que nous nous dirigeons vers le parc.

Ce n'est pas étonnant que mon frère soit spécial. Mes parents voulaient que leur seule et unique fille puisse aimer un frère ou une sœur. Quand ma mère est rentrée de l'hôpital, elle avait dans ses bras un gros œuf. Et dans l'œuf, il y avait... Coco ! On ne sait pas trop pourquoi d'ailleurs.

Mais c’est la plus belle chose qui pouvait m’arriver. Rose-Marie ne cesse de me rappeler à quel point je suis chanceuse d’avoir un Coco dans ma vie.

Elle a raison!

3

ENCOCORE !

Rose-Marie nous devance au parc. Le nez en l'air, elle renifle…

— Tu sens quelque chose ?

Je dépose Coco par terre. Il se précipite sur l'une des balançoires libres, son jeu préféré.

— Chère Chloé, je constate à l'absence d'odeur que Martial n'a pas marqué ce territoire-ci…

— On s'en balance, de Martial, Rose-Marie !

J'assois Coco sur la balançoire destinée aux plus petits, celle avec une barre de sécurité. On pourrait y passer le reste de l'après-midi tellement il aime ça.

— Encore, Chloé! Encore!

Je le pousse de plus en plus fort. D'un élan à l'autre, il arrive à la hauteur de mon visage. Il émet des cris de joie.

— Ferme ta bouche, Coco. Sinon, tu vas avaler des mouches!

Au bout d'une dizaine de minutes, il cède sa place et se rend vers les bascules. Nous nous installons aux extrémités. Je monte, il descend; je descends, il monte.

— Bonjour, Chloé. Bonjour, Coco.

C'est Alex, le surveillant du parc. Un adolescent de treize ans. Un jour, je vais l'épouser.

— Bonjour, Alex.

— Que c'est mignon!

Ah, non! Pas encore! Pas lui! Pas jusqu'ici!

Martial s'avance rapidement dans ma direction.

Alex n'hésite pas une seconde et s'interpose entre lui et moi. Mon futur fiancé le dépasse presque d'une tête.

— Les enfants ont le droit de s'amuser sans être dérangés, déclare Alex.

— Je venais simplement avec ma sœur profiter du terrain de jeux, proteste Martial.

— Elle est où, ta sœur ? demande Rose-Marie.

Martial se retourne pour désigner sa Petite Fleur. Mais celle-ci n'est plus là... Rien qu'un instant, je découvre dans son regard une lueur d'inquiétude. J'en suis

même surprise. Lui, se tracasser pour sa sœur ?

Alex, à qui rien n'échappe, surtout pas mon sourire, montre les balançoires des petits.

— Elle est là, indique-t-il.

Petite Fleur est déjà installée dans l'une des balançoires, et devinez qui la pousse ! Coco !

— Plus haut, Coco ! crie-t-elle.

Derrière Petite Fleur, mon frère y va de ses élans les plus forts.

— Arrête ça tout de suite ! hurle à son tour Martial, à l'endroit de mon frère.

Il bondit vers lui. Nous sommes sur ses talons.

— Je ne veux pas que ton frère joue avec ma sœur. C'est pourtant clair, non ? gronde Martial, entre ses palettes.

— Ce qui est clair, rétorque Rose-Marie, c'est que ces deux-là s'amusent ensemble.

— Vous ne pourriez pas rester chez vous et jouer dans la cabane à moineaux que ton père a dû construire dans un arbre pour le Coco, au lieu de venir ici ? reprend Martial.

— Plus haut, Coco! crie Petite Fleur.

Je réplique:

— Tout le monde est bienvenu dans le parc, Martial!

— Plus haut, Coco!

— Tout le monde à part toi, Rose-Marie, et ton bizarre de...

Ça s'est passé comme au ralenti. Coco ne sait pas que voler. Il est fort, très fort. Excité par les cris de la sœur de Martial, il a lui a donné une formidable poussée. Pour la première fois dans l'histoire du parc, une balançoire a fait un tour complet avec quelqu'un assis dedans... Petite Fleur!

Il y a eu comme un murmure dans le parc. Des tours complets, avec une balançoire, c'est fréquent, sans personne à bord. Alors que là, une petite fille venait d'en faire le tour!

Une fois la balançoire arrêtée, Petite Fleur en redemande:

— Encore, Coco! Encore!

— Nooon! hurle Martial, passant du vert de la peur au rouge de la colère.

Il dégage Petite Fleur de la balançoire.

— Bye, Coco! dit celle-ci à mon frère.

— Bye, Fleur, répond-il.

Voilà que Martial s'approche un peu trop de Coco. Encore une fois, Alex intervient.

— Il y a un problème, Martial?

Le garçon me lance un regard sournois.

— Tu ne perds rien pour attendre, toi, marmonne-t-il.

Martial n'a pas fait deux pas vers la sortie qu'Alex lui bloque de nouveau le passage. Il pointe la balançoire qu'occupait sa sœur.

— Il faut la remettre comme elle était à ton arrivée, ordonne-t-il.

— Mais... mais... c'est ce petit monstre qui en est la cause, objecte Martial en parlant de Coco.

Petite Fleur sourit.

— Bonjour, Coco!

— 'Jour, Fleur! répond Coco, imperméable à la pluie d'injures de cet imbécile de Martial.

— Qui accompagne cette charmante jeune fille? demande Alex en regardant Martial.

— C'est moi, mais...

— Donc, tu es responsable de ce qui lui arrive. Tu ne voudrais pas qu'on interdise l'accès du parc à Petite Fleur à cause de son grand frère?

Toc! En plein dans le mille!

Malgré son épouvantable caractère, la dernière chose que Martial souhaiterait dans tout l'Univers, ce serait de priver Petite Fleur d'une sortie, peu importe l'endroit.

À contrecœur, Martial se plie à la demande du surveillant.

— Je dois grimper là-haut? dit-il avec un tremblement dans la voix.

— Oui, répond Alex, imperturbable.

Martial est nerveux. Il respire bruyamment. Puis, d'un bond, il s'élance dans les airs, les bras tendus. Ses mains agrippent la barre horizontale qui supporte la balançoire. Il ferme les yeux. Ses pieds sont à une dizaine de centimètres du sol.

— Au secours! Aidez-moi! J'ai... j'ai peur des hauteurs.

Alex vient à sa rescousse. Il le décroche comme il le ferait d'un poisson de son hameçon et le laisse glisser par terre. Avec agilité, mon futur amoureux monte à son tour sur la barre. En un tournemain, il replace la balançoire dans sa position initiale.

Martial est toujours blême de terreur. Heureusement pour lui, il ne voit pas Coco et Petite Fleur qui s'amusent comme des petits fous sur la bascule.

— Encore, Coco! rigole la fillette.

4

COUCOU, COCOTTE !

Peu importe si Martial prétend que le champ est son territoire. Après le souper, j'y retourne avec Coco. Rose-Marie viendra nous rejoindre un peu plus tard, car elle doit faire des emplettes avec son père.

— Coco, volant ? Coco, volant !

— Oui, Coco, lui dis-je. Nous allons jouer au cerf-volant.

Le vent est assez fort. Avec Coco à mes côtés, je me prépare à attacher la ficelle au cerf-volant. Mon regard croise celui de Coco. Et puis, zut ! Je noue la ficelle à la ceinture de mon petit oiseau de frère.

— Prêt ?

— Voui !

— Décocollage !

Pour la forme, je cours dans le champ, mais Coco s'est déjà élevé dans le ciel dès mes premiers pas. Il manifeste sa joie.

Je m'arrête. Avec ravissement, je goûte le spectacle de voir mon petit frère, une dizaine de mètres dans les airs, les yeux fermés, se bercer au gré du vent. Je lui chante notre chanson, *La poulette grise*, vous savez, celle qui a pondu dans l'église.

J'entends des pas derrière moi. C'est sûrement mon amie, Rose-Marie. Je désigne Coco.

— Regarde comme il est heureux, Rose-Marie.

Les pas se rapprochent.

— Rose-Marie ? Tu pourrais me dire quelque chose, non ?

Je reçois un grognement pour toute réponse. Non, ce n'est pas mon amie, c'est...

— Coucou, Cocotte!

— Martial Létourneau!

— Oui, et je ne suis pas seul, ajoute-t-il, étrangement calme.

— Bonjour, Coco! dit Petite Fleur, à demi cachée derrière les jambes de son frère.

— 'Jour, Fleur! fait Coco.

Martial siffle très fort entre ses palettes. D'abord, il ne se produit rien, à part le fait que sa sœur se bouche les oreilles des deux mains. Le bruit a alerté Coco. Il ne sait pas trop s'il doit redescendre ou pas vers moi. Entre lui et Martial, la distance a de l'importance.

Son regard se porte au loin. Ses yeux s'écarquillent de terreur. D'horribles jappements se font entendre tandis que Kentucky, le chien détesté et détestable de Martial, court vers nous, aussi vite que ses ridicules petites pattes le lui permettent.

Maintenant aux pieds de son maître, le chien Kentucky renifle l'air et il aperçoit Coco.

— Toi, tu ne bouges pas d'ici! ordonne bêtement Martial à sa sœur.

Sans attendre, il me fait tomber et se saisit de la ficelle.

— Tiens, tiens… Il y a quelqu'un au bout du fil.

Il s'adresse à son chien Kentucky :

— Voyons voir qui c'est…

Il commence à tirer sur la ficelle et à ramener Coco vers le sol. Je me relève en vitesse et tente de la lui arracher des mains. Mais il me repousse une autre fois.

Le chien approche, menaçant.

— Garde-la à distance, Kentucky. Si elle bouge, mords-la !

La bête montre ses crocs.

Martial chante à tue-tête :

— « Alouette, gentille alouette. Alouette, je te plumerai. » Dis-moi, Kentucky, que pourrait-on lui plumer en premier ? La tête ? Les ailes ? Les cuisses ?

Coco n'est plus qu'à quelques mètres de lui.

— Martial, laisse-le tranquille ! C'est mon petit frère ! L'ami de ta Petite Fleur !

Il s'arrête un instant. Comme s'il réfléchissait. Quoi ? J'ai touché son cœur ? Me serais-je trompée à son sujet ?

— La tête, décide-t-il finalement.

— Qu... quoi ?

— Oui, je lui plumerai la tête, chante-t-il avec un plaisir évident.

Coco ne voit même pas Martial. Ses yeux sont fixés sur le chien. Mon frère est paniqué. Il tente de se libérer, mais il est incapable de défaire les nœuds de la ficelle qui le rattache à Martial. Dans un dernier sursaut, il se démène furieusement.

— Tu auras beau bouger comme un poisson hors de l'eau, mon petit vol-au-vent au poulet, je suis un pêcheur expert.

Il éclate d'un rire mauvais et tend la main pour saisir Coco.

— Tu ne peux pas me lancer des bombes puantes, cette fois-ci !

PLOUTCH !

Mais...

RE-PLOUTCH !

RE-RE-PLOUTCH !

En pleine poire !

Martial vient de recevoir trois ballons d'eau dans le visage. Il n'y a qu'une seule personne dans mon entourage qui soit aussi précise pour des tirs de la sorte: Rose-Marie!

RE-RE-RE-PLOUTCH!

Celle-là frappe le chien Kentucky qui s'enfuit en protestant.

Surpris et trempé par l'attaque, Martial lâche la ficelle. Je crie:

— Sauve-toi, Coco!

Coco reprend de l'altitude. Martial ne se déclare pas vaincu pour autant. Il court après le bout de ficelle qui lui a échappé des mains.

— Je t'aurai, le Coco, tempête le garçon, hors de lui.

Au moment où sa main est sur le point d'agripper la ficelle, PLOUTCH! Rose-Marie fait mouche de nouveau.

— Tu devrais aller à la Ronde! lui dis-je avec reconnaissance.

Youpi! Coco est maintenant hors de portée de Martial.

— Je te réservais mes bombes pour une surprise ce soir, dit Rose-Marie avec un grand sourire.

Furieux, Martial fait quelques pas dans notre direction. Brusquement, il s'arrête. En un instant, l'expression de son visage change. Il est inquiet. Il regarde partout autour de lui. Kentucky s'est sauvé. Bon débarras ! Mais ce n'est pas pour son chien qu'il est si troublé.

Petite Fleur a aussi disparu.

5

UN HÉLICOCO

Ma première pensée, une fois Coco au sol, c'est de déguerpir en quatrième vitesse et d'abandonner Martial à son malheur. Tant pis pour lui et Petite Fleur.

Que je regrette de l'avoir dit dans ma tête !

Ah ! Il a eu ce qu'il méritait. Il n'avait qu'à s'en occuper, de sa sœur. S'il nous avait fiché la paix, à Coco et moi, tout cela ne serait jamais arrivé. Et je pourrais rentrer à la maison, l'esprit tranquille. Mais les remords ne font pas de bons oreillers.

Le soleil rouge est sur le point de disparaître au bas de l'horizon. Rose-Marie et moi, nous nous consultons du regard. Un haussement d'épaules plus tard et nous sommes aux côtés d'un Martial totalement désemparé.

— Je ne sais pas quoi faire, geint-il.

Rose-Marie a ramassé le chapeau de soleil de Petite Fleur. Elle le tend à Martial, qui a les yeux embués de larmes. La scène n'a pas échappé à Coco, bien en selle sur mes épaules.

— Peine? dit-il à Martial.

— On peut t'aider, si tu veux, propose Rose-Marie.

Je suggère:

— Petite Fleur est peut-être rentrée chez vous, Martial?

— Non, je l'aurais croisée, répond Rose-Marie.

— Elle ne peut se trouver qu'à un seul endroit, conclut Martial d'une voix éteinte. Le boisé au bout du champ.

— On doit se dépêcher avant que la nuit tombe, dis-je.

D'un commun accord, nous nous y rendons en courant. À l'orée du bois, Martial hésite un instant avant d'y pénétrer. Je lui donne une furieuse poussée dans le dos. Pourquoi le ménager, après tout ?

— Si tu attends trop, il sera impossible de la retrouver avant la nuit.

Heureusement pour nous, le boisé n'est pas trop dense. Un sentier pour la marche y a été aménagé.

— Elle a pu passer par là, note le garçon.

Il s'avance et hurle le nom de Petite Fleur de tous ses poumons. Au bout de quelques minutes, nous nous arrêtons.

— Elle ne peut s'être éloignée à ce point avec d'aussi petites jambes, remarque Martial.

Je déteste l'avouer, mais il a raison.

— Revenons sur nos pas.

En vain. Nous nous retrouvons à notre lieu de départ. Le soleil a disparu et Martial frôle la panique.

— On devrait alerter les policiers, dit Rose-Marie.

— Bonne idée, mon amie. Va chez toi et appelle le 9-1-1. D'ici là, on poursuivra les recherches dans les environs.

Rose-Marie est déjà partie. Elle court à en perdre haleine.

— Il nous faudrait un hélicoptère, dis-je. Du haut des airs, Petite Fleur nous verrait sûrement.

— Où vas-tu en trouver un à cette heure-ci ? demande Martial avec ironie.

C'est idiot d'avoir réfléchi tout haut.

— Fleur ? Fleur ? fait Coco, perché sur mon épaule.

La lumière jaillit ! Prenant mon frère dans mes bras, je dis :

— Mais on l'a, notre hélicoco !

— Quoi ? Cet espèce de...

Il grimace.

— Attention, Martial ! Je peux m'en aller tout de suite !

— ... de Coco, finit-il par dire.

Pas de temps à perdre. J'attache un bout de ficelle à la ceinture de Coco.

— Volant ? demande Coco, étonné.

— Oui, volant, mon beau Coco. On doit retrouver Petite Fleur. Elle s'est égarée dans le boisé.

Martial s'approche avec, à la main, le chapeau de soleil de sa sœur. Il le flanque sous le nez de Coco.

— Va chercher, Coco! Va chercher!

Je lui arrache le chapeau et le dépose sur la tête de mon frère.

— Hé! Coco n'est pas ton stupide chien!

— Fleur! dit Coco, déterminé.

— Vas-y, mon Super Coco!

Il décolle à la verticale comme un hélicoptère, puis il survole la forêt. Il lance régulièrement des « Fleur! Fleur! ». La ficelle est suffisamment longue pour lui permettre d'explorer une partie des lieux, du moins celle où devrait se trouver Petite Fleur.

— Ouille! se lamente Martial en se prenant le bras. J'ai été piqué par un maringouin.

Quand je reporte mon regard vers Coco, il n'est plus dans mon champ de vision. Je crie:

— Coco! Coco! Où es-tu?

Je tire légèrement sur la ficelle. Elle tombe au sol! C'est à mon tour de m'inquiéter. Coco n'est plus au bout du fil!

— La corde s'est peut-être cassée, suppose Martial.

La nuit approche. Dans une quinzaine de minutes, tout au plus, il fera aussi noir que dans la gueule d'un loup. Cette constatation augmente le volume de mes appels :

— Coco ! Coco ! Reviens !

Rose-Marie arrive à cet instant, accompagnée de ses parents, des miens, de ceux de Martial et d'un policier moustachu muni d'une puissante lampe de poche.

Quand Martial aperçoit ses parents, il s'empresse d'aller au-devant d'eux.

— Papa, maman ! J'étais en train de jouer au cerf-volant avec Petite Fleur quand Rose-Marie et Chloé sont venues me déranger. Petite Fleur a eu peur et elle s'est sauvée dans la forêt.

— MENTEUR ! ripostons-nous en chœur.

— On en discutera plus tard, tranche le policier Saint-Hubert.

Nous nous enfonçons davantage dans le boisé. Les noms de Petite Fleur et de Coco, de Marguerite et de Marco, leurs vrais prénoms, se répercutent dans la nuit. Je serre très fort les mains de mes parents.

— Braquez votre lampe de poche vers le ciel, monsieur le policier, dis-je. Ça pourrait alerter Coco.

— Bonne idée, acquiesce-t-il.

Il s'exécute aussitôt. Martial est en proie à une grosse frayeur. Il se protège la tête de ses bras.

— Au secours ! Je suis attaqué par une chauve-souris géante !

C'est peut-être...

— Coco ? Coco !

— Bravo, Chloé ! me félicite maman. Coco a été attiré par la lumière.

Coco se pose sur l'épaule de papa, tout content de le voir.

— Papa! Maman! gazouille Coco.

— As-tu vu Marguerite? demande le papa de Martial.

Mon frère ne connaît pas Petite Fleur sous son vrai prénom. Je précise pour lui:

— As-tu vu Petite Fleur?

— Fleur? Voui!

Rapidement, il redécolle et remonte au-dessus des arbres, à la grande surprise du policier qui en perd presque sa moustache.

— Mais... mais... mais..., bégaie-t-il.

— On le suit? dis-je à l'agent pour le sortir de sa torpeur.

— Ou... oui.

Il éclaire Coco dans le ciel. Après quelques battements de bras, mon frère fait du surplace.

— Fleur! Fleur! crie-t-il.

— Bonjour, Coco! dit Petite Fleur, que nous découvrons assise sur une branche, à mi-hauteur d'un arbre.

— Hourra! On l'a trouvée! se réjouit Martial.

Je lui fais des gros yeux.

— Euh… je veux dire que lui (il désigne Coco) l'a trouvée… peut-être…

— Martial, tu pourrais aller la chercher, lui dis-je. Après tout, c'est ta faute… et ta sœur.

— Papa ? supplie Martial.

— Ben… mon fils, c'est plutôt haut, répond son père, embêté.

— J'y monte ! décide le policier.

— Bonjour, Coco ! dit Petite Fleur en souriant à mon frère, qui vient de se poser sur la branche à ses côtés.

Ils sont mignons comme tout, nos deux moineaux, toujours éclairés par la lampe de poche de l'agent Saint-Hubert.

— J'arrive ! annonce Petite Fleur.

Sur ces mots, elle donne la main à Coco. Tous les deux planent vers le sol comme une feuille à l'automne. Les bras de monsieur Létourneau cueillent Petite Fleur, et ceux de maman, Coco.

— Tu es notre héros, lui dit maman.

— Hé, Martial ! Tu pourrais remercier Coco, observe Rose-Marie.

— Oui, merci, Coco, murmure Martial du bout des lèvres.

— Et tu pourrais lui promettre de laisser dorénavant ton Kentucky à la maison, insiste mon amie.

— Oui, merci, Coco! répète Martial, les dents serrées.

— Et tu pourrais aussi...

— On a compris! crie le garçon, exaspéré.

Encadrés par nos parents et le policier, nous quittons le boisé pour rentrer chez nous, fourbus, mais heureux d'avoir retrouvé notre petit monde.

L'agent secoue la tête.

— Quand je raconterai ça à mon patron... Un enfant qui vole...

Curieusement, personne ne s'est demandé comment Petite Fleur a fait pour aboutir là-haut, sur une branche...

Se peut-il que....

Et si...

Moi, j'ai mon Coco.

Martial aurait-il sa... Cocotte?

TABLE DES CHAPITRES

LORS D'UNE PÉRILLEUSE BALADE AU PARC...

Coco aime bien s'amuser au parc avec sa sœur Chloé et, surtout, avec son amie Petite Fleur. Mais qui sont ces deux hommes à la veste blanche qui semblent s'intéresser tant à lui ? Le docteur Flaminco et son assistant, Colin Cossette, aimeraient bien comprendre comment ce petit garçon a pu naître dans un œuf, et d'où lui viennent ses pouvoirs spéciaux. Afin d'élucider ce mystère, ils iront loin, très loin pour pouvoir mener leurs expériences.

Alain M. Bergeron

Coco et le docteur Flaminco

ÉDITIONS
PIERRE TISSEYRE
www.tisseyre.ca

Tome 4

Coco et le docteur Flaminco

roman

1

MONSIEUR LE COCOMMISSAIRE

— Ha, ha, ha ! C'est une bonne blague ! s'exclame Robert Dessureault, commissaire et enquêteur-chef, en laissant tomber le rapport du policier Saint-Hubert sur son bureau.

Assis devant lui, le dos bien droit, l'auteur du rapport tente de se rappeler à quelle bonne blague son chef fait allusion.

— Je ne vois pas de quoi vous parlez, chef ! réplique-t-il d'une voix neutre.

Le commissaire lui désigne le mince dossier sur son bureau. Puis il laisse tomber son impressionnante masse physique sur sa chaise qui gémit sous le poids.

— Cette histoire de petit poussin qui vole au secours d'une petite poulette. C'est un roman pour les enfants que vous avez lu dernièrement ? Non ? Prenez donc congé, vous avez l'air fatigué.

— Mais... chef ! proteste le policier Saint-Hubert.

— Allez ! Bonne fin de semaine ! dit son supérieur sur un ton sans réplique.

D'un geste théâtral, il montre la porte à son inférieur. Obéissant, celui-ci revoit en pensée ce petit Coco, s'envolant pour aller retrouver sa copine, sur une branche perchée, dans un boisé.

— Je n'ai pas rêvé, ronchonne-t-il en s'éloignant.

Presque malgré lui, le commissaire ne peut s'empêcher de jeter un dernier coup d'œil au rapport du policier.

— Un enfant qui vole..., soupire-t-il. Et puis quoi encore ? Le Bonhomme Sept Heures ? Le père Noël ? La fée des dents ?

Les nouvelles circulent rapidement dans une petite ville.

Le commissaire a discuté de l'histoire avec un ami au cours d'un petit-déjeuner, œufs et bacon, au restaurant.

À la table voisine, madame Desjardins a prêté une oreille attentive à leur conversation. Il ne lui a pas fallu beaucoup de temps avant de caqueter la nouvelle à sa cousine, venue la retrouver pour lui emprunter de l'argent. Madame Desjardins a refusé, bien sûr, prétextant qu'elle n'était pas la poule aux œufs d'or. Elle a changé de sujet, lui racontant cette curieuse histoire d'enfant chauve qui volait.

Or, sa cousine, madame Pinsonneault, a rencontré quelques minutes plus tard monsieur Cardinal, animateur à la radio. On dit de lui qu'il est le coq des ondes avec son émission *Rumeurs sur ma ville*. Une heure plus tard, l'homme cancanait à son auditoire qu'un petit garçon volant se portant au secours d'une fillette prisonnière d'un arbre avait été aperçu par un policier. Le prénom de ce héros était Marcoux et on le surnommait Coucou...

— Je le savais ! hurle de joie Colin Cossette en fermant brusquement la radio dans son automobile.

Plutôt que de continuer sur la rue Principale, il bifurque vers la droite et prend la direction de la campagne.

« C'est le docteur Flaminco qui va être content ! » se dit-il, tout excité, ajustant sa casquette sur son crâne nu.

— Une chance que j'étais là ! C'est grâce à moi si ton frère a été sauvé ! fanfaronne Martial Létourneau.

Celui-là, il raconte n'importe quoi, à n'importe qui. Mon amie Rose-Marie ne se gêne pas pour le lui rappeler.

Nous nous trouvons au parc. Coco se balance joyeusement sous les regards admiratifs de Marguerite, surnommée Petite Fleur par son menteur de grand frère, Martial.

— Encore, Coco ! Encore, Coco ! hurle Petite Fleur.

— Vvvouiiii ! crie à son tour Coco, dont les élans sont de plus en plus vigoureux sur sa balançoire.

Il n'a pas besoin que je le pousse. D'ailleurs, j'estime qu'il monte suffisamment haut comme ça.

— Ralentis, Coco. Tu vas faire le tour de la balançoire !

Alex, le jeune surveillant du parc et mon futur époux – mais il ne le sait pas encore – garde un œil attentif sur Martial. J'aperçois aussi deux hommes en veste blanche, appuyés sur la clôture, qui semblent s'intéresser aux activités de Coco et de Petite Fleur.

— Si on avait attendu ton aide pour récupérer TA sœur sur la branche, elle y serait encore, Martial ! lui rappelle mon amie Rose-Marie.

Le colosse de ma classe de quatrième année hausse ses larges épaules et lui jette un regard dédaigneux.

— J'étais sur le point de grimper quand cet espèce de Coco-là m'a devancé, bougonne-t-il.

— Encore, Coco ! Encore ! trépigne Petite Fleur.

Tous nos regards convergent vers Coco. L'air déterminé, il pousse furieusement ses petites jambes vers l'avant. Ses mains menues s'agrippent aux chaînes de la balançoire. Puis, il se donne un ultime élan qui restera gravé dans nos mémoires.

— Ooooooooooh ! crions-nous.

Selon l'expression d'Alex, Coco est parvenu, par lui-même, à réussir le tour

du monde! Il s'est propulsé en orbite autour de la barre horizontale[1].

Spontanément, nous applaudissons son exploit. Puis mes réflexes de grande sœur reprennent le dessus et je me précipite pour freiner le nouvel élan de mon frère.

— À mon tour! s'exclame alors Petite Fleur, qui prend sa place sur la balançoire. Pousse-moi, Coco!

---

1. Ne tentez pas ceci à la maison ou au parc, les Cocos et les Cocottes, à moins d'être nés dans un œuf…

— Vvvoui ! répond mon frère avec enthousiasme, heureux à l'idée d'envoyer son amie entre ciel et terre.

— Nooooon ! répliquons-nous, Martial et moi, dans un étonnant synchronisme.

Je fais remarquer à Coco que c'est l'heure d'aller manger.

— Bonne idée, approuve Martial, saisissant le poignet de sa sœur. C'est sûrement l'heure de lui donner ses (la blague effrontée de Martial tombait un peu à plat, non ?) graines de tournesol.

Du coin de l'œil, je vois les deux hommes en blanc qui discutent vivement, l'un d'eux désignant son appareil photo.

Qu'est-ce qu'ils peuvent bien vouloir, ces deux-là ?

2

SURVEILLÉS !

— Ce n'était pas une rumeur sur ma ville... C'était donc vrai ! s'enthousiasme le docteur Flaminco.

De joie, il tambourine les épaules de son assistant, Colin Cossette.

— Oui ! Aïe ! Je vous l'avais dit ! Aïe ! Vous ne pourriez pas arrêter ? Aïe !

Marchant de long en large, près de la clôture du parc, le docteur Flaminco ébouriffe ses épais cheveux noirs bouclés qui tranchent sur sa veste blanche. Le suivant comme son ombre, Colin Cossette retire sa casquette pour gratter son crâne nu. Brusquement, le docteur Flaminco s'arrête, heureux d'avoir une nouvelle idée.

— Ils doivent certainement habiter dans le quartier. Dépêchons-nous. Il faut trouver où ils demeurent.

Les deux hommes se précipitent vers le véhicule automobile.

— On suit le petit garçon ou la fillette ? demande Colin Cossette en s'installant derrière le volant.

— Le garçon, bien sûr ! répond rudement le docteur Flaminco, comme s'il s'agissait d'une évidence.

— Vite ! Il ne faudrait pas le perdre de vue !

— Ça ne risque pas d'arriver, lui signale son passager en pointant du doigt le ciel où se découpe une mince silhouette, rattachée par une longue corde au siège du vélo d'une fille prénommée Chloé.

Nous sommes retournés au parc samedi matin avec Rose-Marie. Encore une fois, Martial et Petite Fleur s'y trouvent. Alex, le futur gendre de mes parents et beau-frère de Coco, gardien des lieux, est là aussi. Cette fois-ci, les deux hommes à la veste blanche ne se montrent pas le bout du nez.

Coco et Petite Fleur s'amusent à jouer à s'attraper, ce qui met Martial hors de lui.

— Ton frère ne pourrait pas s'intéresser à un jeu plus tranquille, chez lui, par exemple, à construire un nid dans un arbre ? gronde-t-il à mes côtés.

Ce grand imbécile se montre insensible aux cris et aux rires des deux petits. Coco, d'ailleurs, exprime son bonheur par « sa danse du Coco » : il l'amorce en émettant des « Tchiiip ! Tchiiip ! Tchiiip ! », puis il bat des bras, se trémousse frénétiquement le croupion, avant de s'avancer à pas lents, dodelinant de la tête et poussant de petits gloussements de plaisir. Pour terminer, il laisse échapper un petit cri de joie. Il est imité, geste après geste, par Petite Fleur !

Alex s'approche de nous pour s'assurer que tout se passe bien. Mon cœur s'emballe devant mon fiancé.

— Je peux te parler ? murmure-t-il.

— Oui…

Oui ! C'est ce que je répondrai quand il me demandera en mariage.

Après avoir jeté un coup d'œil à Martial et à Rose-Marie qui se chicanent de plus belle, Alex plonge son regard troublant dans le mien. Il me touche l'épaule. Je ne la laverai plus jamais. Du moins jusqu'à ce soir.

— Chloé, tu te souviens de ces deux hommes, l'autre jour, ceux qui étaient au parc, avec la veste blanche ?

Et moi qui croyais qu'on allait parler de notre voyage de noces…

— Ah…, dis-je, déçue devant l'indifférence de l'homme de ma vie.

— Ces deux individus, reprend-il, ignorant mon émoi, sont revenus hier poser des questions à votre sujet. Je n'ai pas répondu, mais je sais qu'ils ont longuement parlé avec Martial Létourneau.

Celui-ci a les bras croisés, l'air mauvais, tandis que mon amie Rose-Marie me salue de la main en souriant. Elle lui a cloué le bec.

— Soyez prudents… On ne sait jamais… Je ne voudrais pas qu'il vous arrive quelque chose.

Martial hurle d'effroi :

— Descendez de là, vous deux !

Confortablement perchés sur la barre horizontale de la balançoire, Coco et Petite Fleur discutent joyeusement, comme deux moineaux pépiant sur une ligne téléphonique.

3

ENVOLÉS !

Coco semble pressé de rentrer à la maison. D'ordinaire, lorsqu'il est relié au siège de mon vélo par une corde, il se laisse flotter au gré de la promenade, un peu comme un cerf-volant.

Mais là, c'est tout le contraire : il me devance et m'entraîne. La corde est tendue au maximum et menace à tout moment de se rompre.

— Coco est bien nerveux, remarque Rose-Marie, qui pédale à mes côtés.

— Pourtant, Kentucky n'est pas dans les parages. On l'entendrait sûrement approcher.

Kentucky n'est pas un restaurant, mais l'affreux cabot de Martial. Coco est terrifié par les chiens, en particulier par Kentucky, à qui il doit des rencontres mémorables. Je lui ordonne d'une voix forte :

— Ralentis, Coco !

— Viiiiite ! hurle-t-il à son tour, le regard soudé sur notre maison, qui n'est plus qu'à quelques coups de pédales.

J'accélère la cadence, suivie de Rose-Marie. Devant la maison, Coco n'attend même pas que je détache la corde du vélo. D'un mouvement brusque, il la casse et plonge à l'intérieur de notre demeure par la porte grande ouverte.

— Il se passe quelque chose, Rose-Marie, dis-je, la voix tremblante.

Ce n'est pas normal. La pelouse n'est pas tondue sur toute sa surface... À mi-chemin du parterre, la tondeuse électrique est immobile, comme si mon père avait été dérangé pendant cette tâche qu'il déteste souverainement.

Et Coco qui court partout dans la maison...

— Mais qu'est-ce qui est arrivé ici ? dis-je en pénétrant dans la cuisine.

Dans un chaudron, la sauce à spaghetti de ma mère chauffe à gros bouillons sur un rond du poêle. Elle a giclé à quelques reprises, laissant des plaques séchées de sauce tomate tout autour. J'éteins le rond et je déplace le chaudron avec précaution.

— Où papa ? Où maman ? demande Coco, inquiet.

— Je ne sais pas, mon Coco...

— Peut-être vous ont-ils laissé une note ? suggère Rose-Marie, qui ne m'a pas quittée d'une semelle.

Nous fouillons dans la cuisine, dans le salon, dans la chambre à coucher... Rien. Pas un mot. Aucun message sur le répondeur. Ils se sont littéralement envolés. Je m'écroule sur une chaise, anéantie.

— Où sont nos parents ?

— J'ai l'habitude de recevoir des parents qui ont perdu leurs enfants, pas le contraire, remarque le commissaire Dessureault, un brin irrité par notre démarche.

Accompagnés de Rose-Marie, nous nous sommes rendus, Coco et moi, au poste de police pour signaler la disparition de nos parents.

— Votre histoire me fait penser aux mésaventures d'un enfant qui a perdu ses parents dans un centre commercial, avant Noël. Vous devriez peut-être la lire... Mais j'ai oublié le titre[2]...

2. *Où sont mes parents ?*, du même auteur, dans la collection Sésame (nº 17). Le commissaire l'a sûrement reçu en cadeau à Noël.

— Si vous connaissiez mes parents, vous sauriez qu'ils ne sont pas du genre à quitter la maison sans avertissement, encore moins sans laisser un mot...

Agacé, le commissaire sort une feuille de papier et griffonne les informations générales que je lui donne. J'ai également apporté une photo d'eux, prise à Noël. Soudain, il laisse tomber son stylo sur le bureau et éclate de rire.

— Mais je connais ces noms-là ! Ils étaient dans le rapport de cette fillette perdue en forêt.

L'air amusé, il pointe mon frère du doigt.

— Alors, c'est toi, Coucou...

— Coco ! corrige l'intéressé, l'air sévère.

— Ah oui ! Le gamin qui sait voler... Mouais... C'est sûrement Saint-Hubert qui veut encore me jouer un tour. Ha, ha, ha ! Elle est bien bonne, celle-là !

Mais avant même que nous ayons pu protester, il se lève de son fauteuil et nous indique la sortie, le visage fermé.

— Maintenant, j'ai suffisamment perdu de temps avec vous trois. Au revoir !

— Mais... Coco sait vraiment voler! Et...

— Suffit! Dehors! ordonne le commissaire.

Sans plus attendre, nous quittons le bureau de ce grossier personnage.

À l'extérieur du poste de police, nous enfourchons nos vélos. Juste à ce moment, Martial, essoufflé, nous rejoint au pas de course, avec Petite Fleur sur son dos.

— Hue, cheval! Hue! dit-elle. Bonjour, Coco.

— 'Jour, Fleur, répond Coco, qui retrouve son sourire édenté.

— Ne viens pas nous embêter, Martial. Je te jure que ce n'est pas le moment, lui dis-je en grondant. Mes parents ne sont plus à la maison...

— Chloé, c'est rien sûrement, ça! Ils ont fait une fugue pour ne plus vous voir. Moi, c'est bien pire... Mes parents sont disparus!

4

UN VÉLO DANS LES AIRS

— Quand je vous ai vus sortir du poste de police, je pensais que vous étiez venus pour demander un permis de vol pour votre Coco, crâne Martial sans sourire.

— Franchement, Martial, réplique Rose-Marie. Il n'y a que toi pour dire des niaiseries pareilles dans de telles circonstances.

— Oui, j'en fais une spécialité. Alors, votre Coco a été arrêté pour vol à l'étalage ?

Sur nos trois vélos, nous pédalons aussi rapidement que nos jambes nous le permettent, guidés du haut des airs par Coco. Celui-ci est rattaché par une solide corde à la poignée avant de mon vélo.

— Moi aussi, Martial ! Moi aussi ! supplie Petit Fleur en désignant du doigt son ami Coco dans les airs.

Pauvre fillette ! Elle est presque sanglée sur le siège arrière fixé au vélo de son grand frère.

— Toi aussi, quoi ? demande Martial, les dents serrées, comme s'il craignait qu'on l'entende.

— Je veux aller avec Coco, dit-elle simplement.

Martial fait la sourde oreille à sa petite chouette de sœur…

Nous nous dirigeons vers la sortie de la ville. Nous passons devant le vaste champ où Coco et moi aimons tant jouer au cerf-volant.

De très loin nous parviennent les aboiements de ce stupide Kentucky, qui tente de nous suivre avec ses petites pattes ridicules. Décidément, je ne l'aime pas, ce sale cabot. Chaque fois qu'il voit Coco, il veut n'en faire qu'une bouchée.

Tout là-haut, mon frère file à la vitesse du vent, voulant creuser au maximum la distance entre lui et Kentucky.

Il continue aussi de nous guider vers une destination mystérieuse. Rose-Marie et moi, nous nous fions à son intuition, qui l'a si bien servi d'ailleurs lorsqu'il a retrouvé Petite Fleur dans le boisé. Je lui crie :

— Plus vite, Coco !

— Encore, Coco ! Encore, Coco ! répète Petite Fleur.

— Vas-y, mon Coco ! Tu es le meilleur ! renchérit Rose-Marie.

Excité par nos cris, Coco augmente sa vitesse d'un cran.

Je ne suis plus capable de suivre. Mes pédales tournent à toute vitesse. Nous sommes sur le point de quitter la route et nous fonçons droit sur la forêt.

— Attention ! Accroche-toi, Chloé ! hurle Rose-Marie.

La chute est inévitable. Nous allons trop vite et...

— Super Coco !!!!

Coco monte dans le ciel et passe par-dessus les arbres. Il m'a soulevée de terre ! Toujours assise sur mon vélo, je me sens comme Elliott dans *E.T. l'extraterrestre*. Je crie en points d'exclamation!!!

— Youhou! hurle sous moi Rose-Marie, clouée au sol.

Après une dizaine de minutes de vol, Coco plane vers le sol pour se poser délicatement. Ce n'est pas mon cas. Emportée par mon élan, dès que ma bicyclette touche terre, je passe par-dessus mon guidon et je fais un vol plané bien involontaire pour me retrouver la tête la première... dans une meule de foin. De peine et de misère, je m'extirpe de ce piège empaillé.

— Chercher papa. Chercher maman, me dit Coco.

Les autres n'ont pas encore eu le temps de nous rejoindre. Mon regard scrute les environs. Nous nous trouvons sur les terres d'une petite ferme perdue dans la nature. Curieux endroit pour jouer aux cultivateurs.

— Chuuut, Coco... Écoute.

Il met sa petite main sur sa bouche. Ses yeux se promènent rapidement de gauche à droite.

— Tu as entendu, Coco?

Il me fait signe que non.

— Le silence…

Pas de vaches qui meuglent. Pas de poules qui caquettent. Pas de canards qui cancanent. Pas de chevaux qui hennissent. Pas de chiens qui aboient à l'arrivée d'intrus.

C'est plutôt curieux, non ?

Il n'y a même pas une seule maison où devraient habiter les propriétaires. La ferme est le seul bâtiment visible à la ronde.

— Papa… maman…, dit Coco en s'y dirigeant résolument.

5

DE LA COMPAGNIE

Coco et moi entreprenons une reconnaissance des lieux, en attendant l'arrivée de Rose-Marie, de Martial et de Petite Fleur. De l'extérieur, la ferme a une allure négligée. Elle est plus petite que mon école primaire, mais plus grande que ma maison. C'est curieux de la voir plantée là, avec ses murs de planches et son toit de tôle, au beau milieu de nulle part... Comme si une main de géant l'avait laissée tomber du ciel. À moins qu'elle n'ait poussé là comme une mauvaise herbe...

Je tiens la main de Coco, mais c'est lui qui me guide. Nous faisons rapidement le tour du bâtiment et mon frère annonce sa conclusion :

— Papa et maman, ici !

Des pas derrière nous…

— Qu'est-ce que vous faites là ? demande une voix autoritaire.

Nous sursautons violemment. Coco en bondit de frayeur et va se poser sur le toit de la ferme. Je me retourne, le souffle coupé.

— Martial ! Tu m'as fait peur !

— Je l'espère bien !

Tout essoufflée, Rose-Marie nous rejoint. Elle foudroie l'énergumène du regard.

— Tu n'as pas pu t'en empêcher…

— Ça m'a fait plaisir, répond-il avec un sourire sadique.

— Bonjour, Coco ! dit Petite Fleur.

— 'Jour, Fleur ! répond Coco du haut de son perchoir, lui adressant des signes pour l'inviter… à le rejoindre.

Elle se prépare à bondir vers lui, mais Martial l'intercepte dans son élan et la petite aboutit dans ses bras. C'est fou, mais j'aurais juré qu'elle allait s'envoler... Je demande à Coco de redescendre.

— Qu'est-ce que vous faites là ? demande à nouveau une voix dure.

— Ah ! ça va faire, Martial. Tu n'es pas drôle ! lui dis-je sur le même ton.

— Mais je n'ai rien dit, moi, proteste-t-il en désignant d'un geste nerveux l'homme à la veste blanche, qui brandit un pistolet.

— Salut, les Cocos et les Cocottes...

L'homme nous ordonne de pénétrer à l'intérieur de la ferme. Il y fait sombre, à l'exception d'une lumière suspendue à une poutre, dans un coin, au fond.

— Il y a des gens qui seront bien contents de vous voir, rigole Colin Cossette.

Je reconnais en lui l'un des deux hommes à la veste blanche qui s'intéressaient à nous au parc. Il retire sa casquette et gratte son crâne nu.

— C'est par là, pointe-t-il de son arme, vers le coin éclairé.

Dans la pièce, il règne une chaleur étouffante, comme si les fenêtres n'avaient jamais été ouvertes pour que circule un peu d'air.

— Où est ton petit frère, le Coco ?

— Il est malade ! répond promptement Rose-Marie. C'est ma mère qui s'en occupe.

— Je ne t'ai pas parlé à toi, réplique bêtement l'individu.

Ainsi, Colin Cossette n'a pas aperçu Coco sur le toit. S'il constate que nous sommes en danger, il pourrait avertir la police et...

— Mais non, il n'est pas malade, bavasse Martial. Il est posé sur...

Rose-Marie lui écrase discrètement un pied. Martial, l'imbécile, met un certain temps à comprendre.

— Je veux dire... Il s'est reposé... sur le divan, chez Marie-Rose, bafouille-t-il.

— Rose-Marie, corrige celle-ci.

— Voulez-vous vous taire, bande de pies bavardes ? ordonne Colin Cossette.

L'individu retient une porte qui ouvre sur une autre pièce, plus vaste et bien éclairée.

J'avale péniblement ma salive.

6

DE DRÔLES D'OISEAUX

— Nous avons de la compagnie, docteur Flaminco, claironne Colin Cossette.

Un homme aux longs cheveux noirs bouclés s'avance vers nous. Nullement menaçant, il s'adresse à nous avec bienveillance :

— Alors, bienvenue chez moi. Je ne vous attendais pas de si tôt, roucoule-t-il.

Encadré par ces deux hommes à la veste blanche, nous pénétrons dans la pièce. Ce que nous voyons nous arrache une exclamation commune.

Nos parents, les miens et ceux de Martial, sont enfermés, par couple, dans d'immenses cages à oiseaux accrochées à des poutres au plafond. Un perchoir, suffisamment grand pour y soutenir un adulte, y est suspendu. Mes parents semblent dormir au fond de cette prison de grillage.

Sans nous soucier de nos deux « hôtes », nous nous élançons vers les cages en hurlant. Je suis contente de retrouver mes parents, mais, en même temps, terriblement inquiète. Qu'est-ce qui va nous arriver ?

— Si on permet aux enfants de retrouver les parents, peut-être que leur instinct de reproduction se ranimera, remarque Colin Cossette.

— Bonne idée, convient le docteur Flaminco en dégustant une bouteille de Coco-Cola. Allez ! Entrez là-dedans !

Par la petite ouverture de sa cage, papa m'aide à grimper, ainsi que Rose-Marie. Martial et Petite Fleur rejoignent leurs parents de la même façon.

Maman me serre dans ses bras. Je lui murmure à l'oreille que Coco n'est pas loin, qu'elle ne doit pas s'en faire pour l'instant.

Papa me raconte que les deux hommes les ont piégés alors que nous étions au parc.

— Ils nous ont affirmé que vous aviez été victimes d'un accident et qu'ils devaient nous amener rapidement à l'hôpital. Complètement affolés, nous sommes montés dans leur véhicule et nous avons réalisé, trop tard, notre erreur. Nous étions leurs prisonniers et ils nous ont conduits ici.

Je relate à mes parents, à voix basse, ma version de l'histoire.

— Mais pourquoi vous ont-ils enlevés ? Pour une rançon ? interroge à son tour Rose-Marie.

Mes parents échangent un sourire gêné. Discrètement, papa me fait signe qu'eux – en désignant les deux hommes en sarrau blanc – ont une cervelle d'oiseau !

— Ils veulent... euh... enfin..., essaie d'expliquer papa.

— Ils veulent que nous nous reproduisions, tranche maman, qui n'a jamais eu peur des mots. Comme si j'étais une poule pondeuse !

— Que vous quoi ? dis-je, incrédule.

— Que l'on fasse des bébés, soupire papa, levant les yeux au ciel. Comme si j'étais le coq de la basse-cour...

— Ils ont besoin d'un cours de sexualité ? demande Rose-Marie, amusée.

— Pas du tout ! intervient le docteur Flaminco en s'approchant de notre cage. Je veux comprendre... Je veux comprendre comment deux personnes aussi ordinaires (il accompagne sa tirade d'une moue de dédain) ont pu concevoir un être aussi remarquable que ce petit garçon que vous surnommez Coco. Je veux percer ce secret. Et je serai le plus heureux des hommes !

Le docteur Flaminco trépigne sur le sol à petits pas rapides et frappe dans ses mains. Sa tête, elle, va nerveusement de la gauche vers la droite, de la droite vers la gauche. Au bout d'une dizaine de secondes, il termine sa danse du Flaminco par un retentissant « Hé ! »...

C'est curieux... Cela ressemble beaucoup à la danse de Coco quand il est content...

— Mais vous ne voulez rien entendre ? On-ne-le-sait-pas ! proteste papa avec véhémence.

— Ou bien vous collaborez, ou bien nous partons à la chasse au Coco et nous effectuons sur lui tous les tests imaginables, y compris la dissection, laisse tomber froidement le docteur.

Je hurle de fureur.

— Vous ne toucherez pas à un seul cheveu de mon frère !

C'est d'autant vrai que mon petit Coco n'a qu'un duvet sur le crâne.

— Nous savons où demeure la mère de votre amie, Marie-Rouge, poursuit le docteur Flaminco. Mon assistant Colin Cossette n'attend qu'un signe et...

— Ma mère ne vous livrera pas Coco ! s'emporte Rose-Marie, les mains secouant les barreaux de notre cage.

Soudain, un bruit léger se fait entendre de l'autre côté de la porte. Se peut-il que...

D'un hochement de tête, le docteur Flaminco ordonne à son assistant d'aller jeter un coup d'œil. Espérant détourner l'attention, je désigne Martial, Petite Fleur et leurs parents.

— Je comprends votre désir de faire avancer le genre humain, mais pourquoi les avoir enlevés, eux aussi ?

Entendant ma question, Martial semble implorer le docteur de ne pas répondre. Il se blottit dans le fond de sa cage, les mains sur les oreilles, et crie des *blablabla*... Petite Fleur, inquiète de son comportement, se penche vers lui.

— Je constate que ton amoureux Martial a lui aussi ses secrets de famille, murmure le docteur Flaminco avec un sourire sarcastique.

Je voudrais lui répliquer que mon amoureux se prénomme Alex et qu'il est certainement à ma recherche à l'heure qu'il est.... Mais la surprise me rend muette : le docteur Flaminco n'a pas de dents !

— Petite Fleur, tout comme Coco, ajoute l'homme à la veste blanche, est venue au monde dans un...

La suite se perd dans le violent claquement de la porte, le hurlement de terreur de Colin Cossette et les aboiements de cette horrible bestiole à quatre pattes nommée Kentucky.

Les yeux écarquillés, la bouche grande ouverte, le docteur Flaminco, terrorisé, parvient à balbutier :

— Un... un chien !

Avec une étonnante souplesse, il s'agrippe à notre cage, puis monte dessus tandis que Kentucky aboie furieusement, le nez en l'air.

De son côté, Colin Cossette s'est réfugié derrière de gigantesques boîtes qui devaient contenir les cages.

— Je déteste les chiens ! glapit le docteur Flaminco, tremblant de peur. Ça me donne la chair de poule !

Papa aperçoit un trousseau de clés accroché à sa ceinture. D'un geste vif, il le lui arrache. Mais l'autre n'a d'yeux que pour Kentucky. Le danger ne vient pas que d'en bas. Une ombre rapide lui frôle la tête. Est-ce une chauve-souris ? Un insecte volant géant ? Non ! C'est... Super Coco !

L'une après l'autre, papa essaie les clés dans la serrure de notre cage. La quatrième est la bonne. Nous sortons de là en vitesse. Maman s'élance pour tirer la famille Létourneau de sa fâcheuse prison.

Kentucky jappe à en perdre la voix, comme lorsque le facteur vient livrer une lettre à leur domicile...

Lors d'un autre passage au-dessus de sa tête, Coco agrippe les cheveux du docteur Flaminco et tire brusquement...

— Nooooon!

À notre grande surprise, mon petit frère brandit fièrement le scalp du docteur: une perruque! Son crâne est aussi nu que celui de son assistant Colin Cossette. Fait remarquable: sa tête a la forme d'un œuf renversé, comme celle de papa!

Heureux d'être libérés, les parents de Martial calment Kentucky qui finit par s'asseoir en grondant. Mon frère vient se poser sur l'épaule de papa.

Toujours accroché à la cage au-dessus de nous, le docteur Flaminco fait piètre figure.

— Descendez de là, Flaminco. Votre place est ici! ordonne maman en ouvrant la porte d'une cage.

— Quand les poules auront des dents! répond le docteur Flaminco qui semble retrouver un semblant d'aplomb.

— Poule mouillée! réplique Rose-Marie.

Kentucky se remet à japper. Contre toute attente, l'homme à la veste blanche s'élance dans le vide en battant maladroitement des bras... Il va s'écraser, c'est sûr! Mais non... il... il s'envole!

— C'est pour ça qu'il... voulait comprendre? dis-je, brisant le silence.

— Personne n'a de tue-mouches? demande Martial.

Frôlant le plafond, le docteur Flaminco fait glisser la trappe du grenier et s'évade par une lucarne du toit de la ferme. Avant de disparaître dans la nuit noire, il nous crie:

— Vous n'en avez pas fini avec moi! Je vous retrouverai!

Une porte claque derrière nous. Colin Cossette a profité de notre inattention pour vider les lieux.

— Non, Coco! N'y va pas! Reste avec nous! dit maman.

Mon petit frère flotte à quelques mètres du sol, le regard fixé sur la lucarne ouverte dans le toit. Je n'avais encore jamais vu cette expression sur sa frimousse. Comme s'il venait de découvrir qu'il n'était pas le seul Coco sur terre...

Eh bien, ça alors!

Avec agilité, Petite Fleur s'est dégagée de l'étreinte de Martial qui l'emprisonnait presque, et a rejoint Coco... dans les airs !

— Bonjour, Coco ! dit-elle en lui prenant la main.

— 'Jour, Fleur ! répond-il, retrouvant son grand sourire édenté.

Épilogue

— Ha, ha, ha! Elle est bien bonne, celle-là! ricane le commissaire, confortablement assis dans son large fauteuil au poste de police.

— Je ne vois pas ce qu'il y a de drôle là-dedans, s'emporte ma mère, sous le regard approbateur de mon père.

— Écoutez, poursuit le commissaire avec un mince sourire. Un type vous enlève pour pouvoir vous regarder vous reproduire, puis fffuit! il s'envole comme un pigeon. Vous pensez que j'ai une tête de linotte pour gober une histoire semblable?

— Non, mais..., proteste ma mère.

— Suffit! ordonne le commissaire, jetant un coup d'œil à la pile de dossiers qui s'entasse sur le coin droit de son bureau. Il est tard, je suis fatigué et je veux quitter mon bureau avant minuit.

Le visage pourpre, ma mère cherche une réplique cinglante, mais elle ne parvient qu'à émettre un gargouillement de fureur.

— La prochaine fois que vous ferez une fugue, avertissez donc vos enfants, sermonne le commissaire avant de se replonger dans ses paperasses.

Nous quittons le bureau, déçus de ne pas avoir été crus. Nous nous dirigeons vers la voiture. La nuit est tombée depuis longtemps. Papa scrute les alentours avec méfiance.

— Il faudra être très vigilants. Le docteur Flaminco pourrait bien réapparaître plus vite qu'on le pense, avertit papa.

— Surveillons nos arrières, ajoute maman.

— Et le ciel, dis-je en regardant Coco.

Mon petit frère ne répond pas. Son attention est tournée vers un énorme oiseau noir, dont la silhouette sombre se détache lorsqu'elle passe devant la lune.

TABLE DES CHAPITRES

Découvre la suite des aventures de Coco dans :

Quel cirque, mon Coco!, nº 72.

Le Coco d'Amérique, nº 84.

Coco Pan, nº 100.

Coco et le vampire du camp Carmel, nº 102.

TABLE DES MATIÈRES DU RECUEIL

Imprimé sur du Rolland Enviro,
contenant 100% de fibres postconsommation,
fabriqué à partir d'énergie biogaz et certifié FSC®,
ÉCOLOGO, Procédé sans chlore et Garant des forêts intactes.

Garant
des forêts
intactes^MC